作者序

我的悔過書

伊佳奇

這是我的悔過書！

但希望能幫助您，不會出現我曾犯的過錯！

這是在學校沒有教的事，長期在醫療專業人士的協助下，是自己從跌跌撞撞及錯誤中學習成長，在這過程中為何有血？為何有淚？

為了扶住父親不要跌倒，結果自己手肘受傷縫了好幾針；為了扶著父親走路，他一個拐子，打到在旁扶他的人的鼻梁，鮮血立刻從我太太鼻子流出。所幸，父親沒事！

離開職場，專心照護他，他卻經常撥打一一〇，報警，兒子要謀財害命；父親住院時，我們著急與醫療人員請教，幫助父親一次一次的渡過難關，他卻是毫無察覺；帶他散步運動，他卻在人潮多的地方，坐在地上，大喊救命；上完廁所，為他擦拭好，

才要幫他穿上衣服，結果又有排泄物出來，褲子又弄髒了，復康巴士早已在門外等候多時，連帶影響人家後面的訂車時間，司機生氣抱怨，我們連忙致歉……

當初我們抱怨，以為他故意找麻煩，後來才理解那是他的病症，不是他的本意，我們的淚水往肚裡吞。

這就是照護失智症長者的生活，只有走過的人，才知其甘苦。

淚水日子的故事，不勝枚舉，不只發生在我們家，幾乎所有失智症家庭都會面臨類似的故事，欲哭無淚，因為淚水已經流乾了，以淚洗面解決不了問題，每天二十四小時，隨時都可能出現新的問題，無助是經常出現的心情，如果父親出現笑容，那真有如陽光照射我們家，當父親生氣或失智症精神行為症狀（BPSD）發生時，家中可真是烏雲慘淡。

因為我無法重新來一次，以更好的照護方式給父親，所以寫下這悔過書。

我希望，我的悔過書，能幫助失智症家庭建立自己的照護體系與方法，為長

者建立非藥物療法的日常生活，降低精神行為症狀，減緩退化，帶給家庭原有的歡樂，將來不必活在懊悔中。

我希望，我的悔過書，能幫助家中有年長父母要照顧的中年子女，能為父母建立老年的生活方式，充滿精神支持與慰藉，遠離憂鬱與失智，帶給家庭和樂的氣氛，他們將來不必活在懊悔中。

這些照護的日子裡，我需要感謝許多人，沒有他們的支持與協助，我無法獨自走完這照護的日子。

首先要感謝的是我太太：王端，沒有她的支持與無怨無悔的協助，在家中已有菲傭的情況下，仍自願當「台傭」，不然我可能會成為社會悲劇中的一員，或者憂鬱症患者。

其次，要感謝台北榮總前一般神經內科主任劉秀枝醫師、台北榮總神經內科王培寧醫師、台北榮總前高齡醫學中心劉建良醫師，在我們照護父親的日子

中，經常受到我們的打擾，請教他們醫學上、生活照護上等各種問題，他們都不厭其煩的給我們指導。

接著，要感謝台北士林日照中心的照服員蔡惠貞小姐、金英粉小姐、張薰讓先生、沈明德職能治療師及前新光醫院神經內科徐隆榮醫師，父親受到他們的關懷與愛的照護，在那的八年中，讓父親擁有健康與快樂的時光。

為了感謝他們的協助與支持，我們成為失智症照護研究者與宣導者。願意終生幫助失智症家庭，希望他們能平順地走過照護的路，不再感到無助與孤寂。

如果您對失智症非藥物療法的照護方式有興趣，在風傳媒的部落格「暮年之美」，有我專門探討失智症照護、非藥物療法及老人醫學等文章，歡迎上網瞭解。

謹將這本悔過書獻給家父——伊爵陞先生。

推薦序

本書是一把進入失智症患者及其家庭生活世界的鑰鑰

江宜樺
行政院院長

臺灣正面臨人口快速老化的挑戰，到一〇三年八月老人人口數已經超過兩百七十六萬人，占總人口數的百分之十一點八十一，而推估老人人口比率將在一一四年達到百分之二十，也就是每五人中有一位是老人，進入超高齡社會。隨著人口老化，失智人口也將增加。根據衛生福利部調查結果，推估目前我國六十五歲以上之失智症患者（CDR ≧ 1 Clinical Dementia Rating，臨床失智評估量表）約有十三萬人，另待觀察者（CDR=0.5）約有九萬人，而推估到了一一〇年失智人口將達十九萬人，待觀察失智者則接近十三萬人。

失智症是導致功能喪失最嚴重的慢性疾病之一，其特徵是患者失去短期記憶力、認知能力和日常功能，並隨著病程發展持續惡化。如果以因疾病

而失去健康生活的年數來衡量，失智症超出瘧疾、破傷風、乳癌、吸毒和戰爭的負擔。世界衛生組織資料預估未來二十年失智症的疾病負擔將增加百分之七十六以上，而我國研究亦指出失智症的醫療照護費用及醫療利用率均明顯高於非失智症病患，顯示失智症的醫療及照護費用如隨人口老化逐年增加，對國家的社會經濟，乃至於個別家庭的衝擊相當重大，是當前刻不容緩需要面對的課題。

一個人不論多有財富與社會地位，在面對家人罹患失智症需要長時間照顧時，都會讓全家人身心疲憊，其辛苦的程度是沒有經歷過的人無法體會的。我的父親大約在九十六年剛滿七十歲時，先後罹患帕金森氏症和失智症，伴隨著數次中風，病況快速惡化，全家人在照顧過程中備受煎熬。記得父親剛發病時，講話時手會輕微抖動，穿鞋沒有辦法精準套入，但家人總認為年紀大了行動反應慢是正常的，直到看到他拿筷拿筆都有問題時，才警覺到問題的嚴重性。就醫後發現父親已是帕金森氏症中期，他的記憶力日益變差，剛發生的事情也馬上忘記，後來連鄰居、老友及家人也逐漸認不得，但家人仍

不確知父親究竟是失智還是老化，而父親自己始終沒辦法接受罹病的事實，自知記憶力與反應越來越差，家人也都看得出他的恐懼，但也只能婉言安慰，父親與母親的關係也隨著病況愈加緊張。到了晚期父親生活完全失序，全家人束手無策，縱使有外傭也無力照顧，才安排進入機構接受完整的照顧。那時父親願意親近的，只剩下少數幾個他覺得臉龐熟悉、可以安心的家人和朋友，於是我和家人也調整心態，把父親看成逐漸退化的小孩來哄他，並陪伴他玩適合年紀的遊戲，讓照顧的壓力與緊張心態獲得適度調整。

伊佳奇先生是我大學同學，家中不幸也面臨失智症長者照顧的問題。他所寫的這本書從〈我強壯的父親，生病了〉開始，展開作者與家人面臨父親罹患失智症及照顧父親的心情過程。每一個情境描述不僅具體生動，更有著細膩的情感，從其中讀者可以隨著作者父親罹患失智症過程發生的事件，看到患者的行為改變與反應、照顧者的經驗與心得、作者父子相處的過往點滴，並從作者以「過來人」立場在每個歷程與情境後所提出的「照護筆記」與「失智症知識」，身歷其境體驗失智症患者及家人的照顧歷程，很快地認識複雜

的失智症患者照顧知識。對讀者而言，在閱讀每一則具體的情境故事之餘，不僅參與了作者的生命經驗，也分享學習了相關的知識與照顧技巧，讓我產生相當的共鳴，非常值得大家來閱讀，相信不論家中有無失智症的患者，在閱讀後都能有所體驗學習，進而對失智症的病人與其家屬有更為深刻的認識。

為因應我國快速增加的老年失能及失智人口，提升照顧服務、醫療保健及社區生活的品質，政府已在全國普設一千九百三十九處社區照顧關懷據點，提供老人關懷訪視、電話問安、餐飲服務及健康促進等服務，同時並推動「長期照顧十年計劃」及「長期照護服務網計劃」來建構長期照顧體系。本人從擔任內政部部長起，就積極推動要讓全國三百六十八個鄉鎮在一〇五年底前都能設置日間的照顧中心，而衛生福利部也已在一〇三年九月訂定了「失智症防治照護政策網領際行動方案」，以「預防重於治療」、「社區居家照護為主，機構式照護為輔」及「全民共同防護」的核心概念，提出提升民眾對失智症防治及照護的認知、完善社區照護網絡、強化基層防治及醫療照護服

務、發展人力資源強化服務知能、強化跨部門合作與資源整合、鼓勵失智症相關研究與國際合作、保障權益等七大策略，並推動三十一項具體行動方案與九十二項工作項目，希望延緩及減輕失智症對社會及家庭的衝擊，提供適切的醫療及照護，讓失智症的患者及家庭受到更好的照顧。

本書是一把進入失智症患者及其家庭生活世界的鎖鑰，當打開大門後，大家對失智症將不再陌生。希望讀者在認識失智症後，不論是當自己面對失智症家人的照顧，或是對身旁正承受照顧壓力的親友，都能減少心中的困惑，更堅定及有同理心的面對此項人生課題外，並能以實際的行動來參與政府與民間各種失智症防治工作。

推薦序

台灣家庭必備好書

鄧世雄
天主教失智老人基金會
執行長

長者即便失智了，他依然是我們最敬重、最珍愛的長輩。本會自成立以來感受到照顧失智長者是一項艱辛及漫長的過程，為此我們致力於做家屬堅強的後盾，並落實「認識他、找到他、關懷他、照顧他」照護宣言，讓社會大眾更認識失智症的預防保健和照顧關懷。

看到身為失智症家屬伊佳奇先生，在照顧父親十二年歲月裡，努力從一個門外漢到成為台灣失智症顧問專家，且把親身照護經驗集結成冊，深信本書的出版必會讓社會大眾對失智症有更深刻的體會，是一本提供民眾失智症居家照護的最佳範本！

推薦序

當家人得了失智症，要如何應變？

劉秀枝
台北榮總特約醫師

在我三十多年的行醫生涯中，每位病人都是我的老師，經由他們的病痛幫助我成長，讓我累積經驗，其中有些病人特別讓我印象深刻，伊爵陞先生就是其中之一。

伊老先生在二〇〇〇年由其太太陪同就診，診斷為輕度認知障礙，剛好是我有興趣的研究題目，伊老先生對醫護人員很客氣，對安排的各種追蹤檢查都非常配合。伊老太太因病於二〇〇四年往生，兒子伊佳奇先生和太太搬去與父親同住，後來甚至辭掉工作，專心照顧已轉變為輕度阿茲海默症的父親。伊先生對父親觀察入微，呵護有加，每次來看門診都會將父親的狀況和父子之間的互動讓我知道，包括被路人誤會以為在欺負年邁的父親因而上警局的事件，讓我體會到家屬在處理失智長者的精神行為上所承受的壓力和無奈。伊

家父子和太太還出席我二〇〇七年的退休茶會，讓我非常感動。當時，只覺得伊佳奇先生非常用心，讀了他的大作《趁你還記得》才瞭解他是如此全心全力的照顧父親，並且廣泛閱讀、到處上課，深入瞭解失智症，把推廣失智症的照護作為他的使命，讓我非常敬佩，也讓我回憶當年行醫的點滴，尤其是讀到我為伊老先生寫的紙條「每天要去上學」時，更是感觸良深。

伊先生在本書中從個人切身經驗出發，進而分享照顧失智長者的技巧，對於非藥物療法以及如何尋求社會資源等等都有很實用的建議，是一本很值得閱讀、參考的好書。

推薦序

我等這樣的一本書很久了！

劉建良
台北市立聯合醫院和平婦幼院區神經內科醫師

初次與伊先生見面是在台北榮總的高齡醫學病房。未見面前，照顧伊爸爸的護理師就先交給我一份約十頁的中文個人病歷，裡面記載著伊爸爸的過去病史、用藥紀錄、還有一些在家測量的生命徵象數據，詳細的程度讓我以為家屬應該有醫學背景。見面一聊才知道伊先生為了照顧父親，跨領域學習跟父親疾病有關的醫學知識和非藥物治療的技巧，這樣的用心讓我感佩。過去幾年在門診和伊先生討論伊爸爸的精神行為問題時，伊先生分享的處理方式，不只不用吃藥、不用約束，還有效降低問題的發生頻率，讓我很驚豔。

從伊先生身上觀察到，照顧者一旦掌握到訣竅，就能找到與失智者共同生活的平衡，比較不會因為不知道怎麼應對而挫折無助產生負面情緒，對

於失智病人所帶來的種種難堪也比較能釋懷。

失智症病人雖然有共同的腦部退化歷程，但每個人個性不同，過去生命經驗不同，退化時出現的精神行為問題也不太一樣。很多時候醫生只能提供大方向的處理原則，實際應用需要跟病人一起生活的家人，在日常生活中觀察找出適合病人的因應策略。有個比喻說得很好，失智照護就像出航，在汪洋大海中，羅盤（專業人員）可以提供方向，確保航行不會偏離，但靠岸就需要熟悉暗礁與漩渦的當地人（家屬或照顧者）帶領，一起合作到達目的地（穩定情緒、減少精神行為症狀）。

照顧失智長者的路很辛苦，有很多方法可以減少照顧挫折，希望閱讀這本書能帶您順利走過這一條艱辛卻收穫滿滿的路。

推薦序

守護失智，高齡社會不能忽略的重要課題

馮燕
行政院政務委員

隨著父母年邁老去，照顧家人的心路歷程，常常成為朋友聚會時分享交流的話題，每個人都有聊不完的照顧經驗。面對高齡化、少子化人口變遷的現象，絕對不是僅有老年人口比率、扶老比的數字變化這麼簡單，這些數字背後真實反映著無數家庭沈重的生活經驗與擔心。

世界衛生組織（WHO）於二〇一二年出版「失智症：公共衛生的優先議題」報告，估計二〇一〇年全球失智症人口逾三千五百六十萬人，每年增加七百七十萬人，即每四秒增加一位失智症者。且預估失智症人口將在二〇三〇年倍增，導致必須投入大量的社會資源及經費預算治療失智症，對於家庭照顧者更是重大挑戰，因此呼籲各國應將失智症列為國家公共衛生和社會照顧的優先議

題；我國亦完成「失智症防治及照護政策綱領」，失智症預防及照顧是高齡社會無法忽略的重要議題。

在諸多失能長輩長期照顧議題上，又以失智症長輩的照顧最為費心勞力，許多家庭照顧者期盼能夠學習更多的專業知識及照顧技巧，所以很欣慰看見伊佳奇老師依據照顧失智父親的親身經歷，出版了這本《趁你還記得》。對失智症照顧者、相關專業工作者而言，本書除了真實呈現照顧者的困境及挑戰，更具體提出實用、易操作的照顧資訊及技巧，是一本兼具知識學習及實務技巧的照顧寶典；對想要瞭解失智症的讀者而言，作者以輕鬆詼諧、生活化地方式，描繪失智症的樣貌及徵狀，有助我們更瞭解失智症患者的生活世界，是一本易懂好讀的失智症入門書。

面對超高齡社會來臨、越來越多失智症問題浮現，誠摯推薦這本好書給每一個想要更認識失智症照顧的讀者。

第1章

他不重，他是我父親

我強壯的父親，生病了

兩位警察荷槍實彈衝進家中大聲的問：「匪徒在哪？」父親急促的回應：「我兒子謀財害命，要殺我！要搶我的財產！警察！救命啊！」一齣猶如在電影上常看到警察衝進民宅試圖制服匪徒的畫面，此刻就在我家真實的上演。

我無奈地請其中一位警察先陪父親在客廳坐下來休息，讓他瞭解報案人的說詞；再請另一位警察到家後面的飯廳，拿出醫院所開立父親患有輕度失智症的診斷證明書，並拿出說明「失智症」患者精神行為症狀的書籍及文章，讓警察瞭解「被害妄想」、「焦慮」、「不安全感」、「猜疑」、「部分近期記憶消失」等，是這種病患的精神行為症狀。

警察聽完我的說明，也檢視完我所提供的資料後，再向父親詢問發生什麼事，父親重複的說：「我兒子要殺我！要搶我的財產！」他指著一堆整理出來要丟掉的瓶瓶罐罐，又一再表示「我兒子有打我」，警察則說，「你兒子比你

年輕又壯碩，如果他打你，你身上一定會有傷痕！」

這時我看到警察將原本放在腰際槍上的手，輕鬆放下，用平緩的語氣向父親說：「老先生，你兒子是在照顧你，不會害你的，你放心，我們會保護你的，你兒子不敢對你不利。」經過警察耐心的與父親溝通後，父親的情緒才逐漸平靜，警察再三向他保證會保護他的安危後離去。我的眼淚往肚裡吞，已在心中流，父親自民國九十三年，經醫生確診為輕度失智症後，這種戲碼一再上演，為人子的我能說什麼？

自從母親在民國九十三年過世後，我就不得不辭去工作與犧牲自己生活的時間，搬回父母的家，負起照護父親生活與健康的責任。每週陪八十三歲的他，開始到醫院看不同科的醫生，從頭到腳分別有：失智症的神經內科、白內障的眼科、高尿酸的新陳代謝科、膽結石的外科、腎水腫的腎臟科、便祕的大腸直腸科、及香港腳的皮膚科，幾乎天天到醫院報到；重視他的飲食對健康的影響，還不忘記為他找營養師，詢問如何安排三餐的飲食內容，配合他目前的健康情形，提供完整的營養。失智症與其他慢性病一樣，潛伏期與患病

期都很長，疾病形成時，常是由許多複雜因素交互影響而逐漸形成的。

回到民國八十八年。

那時我們經常利用週末返家，一方面是看到父母過於節儉，在飲食方面營養不夠，我們刻意去好市多購買大包裝的牛肉回家，告訴母親，我想吃她燉的紅燒牛肉，事實上，我們只在家中吃一餐，剩下的足夠他們吃一週；另一方面，陪他們打麻將。父親脾氣不好，母親常躲出去找朋友打麻將，讓父親一個人在家，我們希望藉由陪他們打麻將，母親可以留在家中。

有一次在打麻將時，父親竟然說，前面有小偷進來了。我的聽覺敏銳，不認為會有小偷，以為是父親在開玩笑，且父母一向節儉，家中沒有值錢的物品，我就開玩笑的說：「別怕，我們家最值錢的是你，有我們保護你，前面就讓他偷，反正沒有值錢的東西。」當然父親是有點不高興，但也在我們提醒他注意要吃牌或碰牌的情境下，他並未一直提起小偷進家的事。

那次之後，接下來的每個週末，幾乎我們陪他打麻將時，都會說一、兩回，我們當時並不很在意，更不瞭解什麼是失智症，直到，我開車去接一位當時

在榮總神經外科醫師的球友一同去打籃球，車上我將父親這個情形敘述給他聽，沒想到，他立即表示，「你要趕快帶令尊去看榮總神經內科劉秀枝主任，這種現象可能是失智症所產生的症狀。」

我與內人在車上聽到這話，兩人都十分驚訝，平常聽到失智症都覺得距離我們十分遙遠，竟然突然間就在我們身邊了，我當天回到家就立即上網為父親掛號。

陪父親看診，經醫師的問診及心理測驗、核磁共振（MRI）等檢驗後，劉主任告訴我們，父親是「輕度認知障礙」（Mild Cognitive Impairment, MCI），並開立藥物。我們將父親送回家後，回到自己的家中上網搜尋瞭解什麼是「輕度認知障礙」、與失智症有何關係，才知道這個階段已經是在失智症前期，如果生活照護得好，也就是多做腦部、肢體、社交等活動，可以延緩進入到失智症的階段。臨床研究，每年有百分之十至十五的「輕度認知障礙」的患者會轉變成失智症患者。

我利用週末回父母家時，向他們解釋如何改善生活方式可延緩疾病退化，但

他們似乎毫不在意，一方面，他們不瞭解失智症是什麼樣的疾病，在他們認知中，要有發燒、痛或外傷，那才是病。失智症是不會有他們認知中的「症狀」，自然就不在意。另一方面，父親脾氣暴躁，會罵人及打人，母親為了躲他，每天總是找理由出門，乾脆就去朋友家打麻將，消磨時間，父親一個人在家，更懷疑母親拋棄他。

這種狀況毫無改善，我們每次回家能勸的都勸了，他們仍毫不願意去改變。我們還發現，劉秀枝主任開的藥，父親完全沒吃，問他為什麼不吃醫生開的藥，他竟然生氣的表示，「沒生病，吃什麼藥，你在咒我啊！」

每次都弄得很不愉快，我也很明白，就因為我是兒子，我不能叫父母應該如何，只有我們要聽他們的分，他們永遠是對的，無論事實真相為何。

我只好退而求其次，去找我在榮總當醫師的高中同學，請他調出父母親的病歷，整體評估他們的健康狀況。他表示，我母親健康的風險比父親高，因為她長期高血壓造成左心室肥大，要留意心肌梗塞，父親除了輕度認知障礙，身體其他功能狀況尚稱穩定。

我瞭解情況後，回父母家去問母親，有去看心臟科嗎？她說，有，是去看高

血壓。當我再去看她的藥袋，竟然與父親一樣沒有服用。我問母親，怎麼醫師開的藥都沒吃，她的回答又是，沒不舒服，吃什麼藥，藥吃多了不好。

我回到自己家中，難過得掉下眼淚，父母對疾病毫無病識感，他們兩位同為軍人背景的權威人格，身為他們的兒子，勸說毫無效果。我是一邊流著淚水，一邊告訴太太，我無法以自己的力量去改變父母目前的情況，每次只會造成言語衝突，如果仍無法改善，只有等其中一位出狀況，我們才能介入，去幫他們改善生活方式。

到了民國九十三年，母親因心肌梗塞驟然離世，我與太太搬回父母家中，同時，我辭去所有工作，開始專心照護父親生活。但這是可避免，卻因父母沒有病識感所造成的悲劇，人生就常在無知的權威中，製造更多的悲劇。

照護筆記

1 中壯年子女如何勸說及照護父母？建議不要和父母正面衝突，多試試不同的方法，但需要耐心與時間。

2 長者常欠缺病識感，子女可用朋友的故事及新聞事件來輔助解釋。

3 透過規律的生活方式，配合非藥療法的生活內容，可降低失智症精神行為症狀的產生，父親在依此原則照護之後，就降低猜疑、妄想等症狀。

不想放手　親身照護

當醫師確診父親有失智症時，我以研究學問的態度與方式，去認識它、接受它、面對它，因患者是父親。

母親過世，妹妹由溫哥華返台奔喪，我希望家人能共同瞭解這病症，能攜手共同照護，但她不接受醫生的診斷結果，還表示，父親是正常的，不願去認識失智症，甚至認為我與醫生串通，以父親罹患失智症為理由，搬回父母家住，霸占房產。

我知道，此刻必須靠自己為父親規劃「新生活」，於是離開職場，參加各種失智症相關訓練、研討會，規劃並陪伴父親非藥物療法的活動，安排他到日間照顧中心，讓他參與團體活動；為穩固深層記憶，數度陪伴父親到中國返鄉探親與掃墓，以懷舊等非藥物療法幫助父親，轉移對母親的思念，穩定情緒及建立自信心。

家人不承認父親有失智症，也不願接受專家客觀的意見，似乎認為得到失智

症，是見不得人、羞恥的病症，我要想共同建立照護體系只是一再爭論，衝突不斷，對照護父親毫無助益。

類似的劇情，就跟曾獲得奧斯卡最佳男主角的菲力普・西蒙・霍夫曼（Philip Seymour Hoffman）所主演的《親情觸我心》（The Savages）中出現的一樣，內容描述兄妹對失智症有不同的認知，對父親照護方式有不同的價值，更道盡對人生最後一程期望的差異。

片中出現父親拿自己的糞便塗抹在鏡子上、忘記子女的職業、不記得今天的日期等現象，經醫師檢查，確診是失智症。在紐約州立大學擔任教授的哥哥Philip，主動去瞭解失智症，在水牛城尋求照護失智症患者的安養機構，以便就近探望；妹妹Laura卻希望找環境較優雅的安養院，試圖刻意掩飾父親罹患失智症，遭到許多安養機構的拒絕，終於爆發出兄妹間的衝突。

無論東西文化有何差異，這類似劇情皆可能發生，這更是家庭成員在照護失智症長者上衝突之所在。我的做法是，不再爭辯，自己扛起照護責任。他給

了我生命，我回饋他十年或十五年時光，占我人生中，僅是六分之一或是七分之一，那是值得與應該的。他生我、養我，從未要求回報，我若繼續發展自己事業，有更多的財富、更高的社會地位，卻連自己的父親都不顧，那生命的價值與人生的意義何在？

數年前，我心裡已有準備，先規劃自己財務，心中明白，如果不去照護父親，那就沒有人會照護他。我也曾經考慮送去機構，我與太太去看過後，不約而同掉下眼淚，以父親個性及狀況，送他去機構，他精神行為症狀出現時，被約束的可能性極高，他一定會抗拒，惡性循環下，後果不堪設想，身為人子，不忍心看到可能的結果。

現在回想當年所作的決定，我覺得是值得的，因為照護他，我重新認識父親，對人生有新的見解，也體認到什麼是平凡中偉大的父愛。這也有些諷刺，如果父親沒有得到失智症，母親沒有突然過世，我不會離開職場，專職照護父親。為了協助他減緩退化，幫助穩固深層記憶，陪他返鄉探親，造訪他過去

成長、求學與居住過的環境。過去我沒有機會去認識與瞭解父親，我對他唯一的瞭解是，他是「威權式的父親」。

原有記憶中的父親，是一位早在民國四十七年已退伍，但心中一直懷念軍旅生涯，口中永遠談的是「對日抗戰」、「徐蚌會戰」等戰史，對我的教育永遠以打罵替代理性溝通。

猶記小時候過年時，他會為我買玩具槍，但也因他童心未泯，與我搶玩具槍玩，我不讓他玩，他可以用腳將玩具槍踩壞，誰也都玩不到，以玉石俱焚的方式，來面對我的任性。

小學時，我與同學到學校隔壁的游泳池游泳，只因沒先告訴他，回家後，他就當著客人面前，直接用棍子與皮帶打我。每當他事業不順，以酒澆愁時，我如果與他頂嘴，立刻賞我幾巴掌，或加上用棍子或皮帶打我。他常收集所謂的「家法」——各種藤條與棍子，如果這些都打斷了，他身上的皮帶還可拿出來打。

父親既要我好好唸書，卻讓母親經常邀朋友在家中打麻將。我唸建中時，當時家就在學校附近，我卻在外面吃晚飯，留在學校唸書；唸台大時，每週七天，天天在學校上課與圖書館唸書，就是不想早回家見到他，都是晚上十一點以後，他睡了才回家，最好彼此不要打照面。易怒、暴力、常喝酒與酒後滿口粗話，是我對父親原有的認識。我曾告訴自己，最好早日與他不要有任何關係。不可否認的，父親在事業上，雖然沒有很大的成就，但能讓家人豐衣足食，我們唸書無後顧之憂。就算是想早日與他不要有任何關係，但要繼續順利完成學業，只好暫時忍耐他的壞脾氣與暴力行為。

直到我留美返國教書，將在美時期，打工賺到的數萬美金，當作出國唸書所有費用還給他，自認從此不再欠他，可不再受他的氣、忍受他了。他還告訴親朋好友，當年，他結匯時，匯率是41：1，我雖然還他等數的美金，這時匯率已是34：1。

接著二十年，我在外工作生活，盡量不與他接觸，偶爾利用週末去探望他們，

專心自己的事業。當我為了健康，將胖了一輩子的身材，從近百公斤減到六十五公斤。我回家探視他們，母親告訴我，父親發現我瘦了，擔心是不是沒錢吃飯，要拿錢給我，我才開始領悟到什麼是「父愛」，試著運用所學對人格與行為的分析，開始去瞭解他。

母親過世，我挑起照護他的責任，在他輕度失智時，為幫助他穩固遠期的記憶及加強近期記憶，陪他到四川成都，參加他軍校十九期畢業六十週年的慶祝活動，讓他重溫十八歲，在草堂寺、西教場出操上課的回憶，這些叔叔伯伯口中的父親，是聰明、認真、敬業與投入，對人的大方，重義氣與承諾的人。

數次陪他返鄉探親，到他出生成長及唸書的環境，希望能增加他的自信心，從親戚口中，重新認識到父親對家庭每位成員的照顧，不求回報，用心的付出。

陪父親到我幼年成長每一個地方，希望他對過去曾與母親一同篳路藍縷，辛苦走過的歲月，能有穩固的記憶。過去的鄰居告訴我，父親結婚剛退伍時，

找不到工作，怕有限的退伍金坐吃山空，曾經到市場賣過菜；與母親經營書店時，是全年無休照顧生意；後來從事塑膠廠、針織廠、汽車零件等生意，他都是認真投入，由門外漢走到賺錢，但也因不知如何面對挫折，不斷選擇轉行來逃避。

我開始從另一角度來看父親，他是平凡中有偉大的父愛。

在那個大時代中，他與兄長自小離家，從閩西到福州，唸教會學校（福州英華學校）。抗戰時投筆從戎，到成都唸軍校，從沒有人教過他如何扮演好父親的角色，軍事化的教育只訓練出他的權威人格，傳統中國的父愛，只出現要求子女唸好書，及自己努力賺錢，讓家人衣食無缺。

所以，不管他如何報警，妄想兒子要謀財害命，我與太太都願意照護患有失智症的父親，當我照護上有挫折時，我常會唱起那首西洋老歌〈他不重，他是我兄弟〉，只是將這歌改成〈他不重，他是我父親〉（He aint heavy, He's my father）。

照護筆記

1 家人間建立照護失智症長者的共識，甚為重要，一定要謹慎，考慮清楚是否願意自己扛起。

2 失智症長者被確診後，平均壽命是八至十二年，但仍需視長者個別的生理功能、照護品質等因素，有所不同，要有長期照護規劃的準備。

3 照護失智症長者是理性與感性的決策，沒有絕對的對或錯，以愛心作為基礎，隨資訊、能力的多寡進行調整，多蒐集與瞭解他人照護的方法，建立適合自己家人的照護方式。

第2章

失智症，怎麼了？必須先思考與要做的事

疾病診斷：失智症的診斷

民國九十三年的農曆除夕，我回父母家一起過年，午飯過後，父親要母親陪他去買香蠋，準備祭祖。一個小時後，父親一個人回來，我們問他，媽媽怎麼沒有跟你一起回來，他說，「你媽跑去打麻將」。

我們覺得真不可思議，就算媽媽愛打麻將，但除夕下午，每戶人家都在準備過年，不可能在這個時間跑到別人家打麻將吧！但父親信誓旦旦的堅持，我們只好一家家的打電話找人，連榮總急診室都找了，結果找不到人，我們心急如焚，只差沒報警。

三個小時後，媽媽打電話回家問，「你爸爸回家了嗎？」

我急忙的問，「妳在哪裡？」

母親表示，爸爸要她在書店門口等他，他自己去買香燭，一等三個小時，都沒看到他回來，現在書店要打烊，她只好打電話回家問問看。原來，爸爸怕剛出院的母親太勞累，不要她走太遠，他一個人去買，但老爸忘記這檔事，買完香燭，自己就回家了。

這件事的發生，讓我們決定過完年一定要帶原被診斷為輕度認知障礙（MCI）的父親再去確診。

一般醫生會對家屬與長者分別進行病史詢問。當時與父親一起生活的母親為了顧及顏面，沒有將父親真實情況說出，失去就醫的目的，於是我私下向醫師說明，醫師決定由我再進行一次，將父親生活上的實情說明後，醫療專業人員才能進行有效的評估及正確的判斷。

如果家人能事先準備說明的資料，有助於醫療人員資料收集的完整性，這些檢查只有病史是需要家人配合提供，其他都由長者配合醫療專業人員來進行相關的檢查。

我記得當時陪同父親前往榮總，多次就診前後長達幾個月，由神經內科團隊經過一系列檢驗過程，最後才由醫師進行確診。所以需有基本的認識，醫師確診是無法一次完成，家人要協助長者耐心的接受一項項的檢驗。

此外，有些長者會排斥去看失智症門診，認為罹患失智症，對他們是一種恥辱，家人可選擇神經內科或記憶門診，甚至可事先與醫師溝通，對這種事經驗豐富的醫師，會配合家屬與長者一同演一齣門診的戲。

照護筆記

1 失智症確診前的檢查是需要經過一連串的檢驗，家人必須用各種方法來幫助長者有耐性的參與。

2 有的長者會忌諱前往神經內科或精神科就醫，排斥接受失智症相關檢查，家屬可事先與醫師溝通，彈性變動就診方式。

3 長者在進行知能測驗時，家屬切勿求好心切，提醒長者就答，應尊重醫療專業人員測驗的步驟，才是幫助長者的方法。

失智症知識

病史：由家屬及長者陳述過去曾罹患的疾病、重大的意外與手術、目前服用的藥物、家族病史、長者生活狀況、最近精神行為是否與以往有所不同。如有症狀發生，出現的順序、是否影響到日常生活、病情是否持續變差、是否有記憶不好的現象等。

身體及神經檢查：可發現健康上各種問題，在神經檢查方面，會請長者閉上眼睛站立，瞭解平衡狀況、用橡皮槌輕敲長者腳踝或膝蓋，及相關檢查動作，以瞭解大腦或脊髓神經細胞運作功能的變化。

知能評估：由心理師以各種神經心理學測驗，評估長者的記憶力、推理能力、協調力、書寫能力、表達能力及瞭解指導語的能力等，以瞭解長者心智功能受損的領域，尚存哪些獨立執行日常生活

的基本能力。測驗方式包括：簡短智能評估（MMSE, Mini-Mental State Examination）、畫出時鐘上應出現的時間（Clock drawing）、臨床失智評分量表（CDR）、CASI、ADAS-Cog等。

實驗室檢查：包括必要常規下及特殊病情需要的檢查，前者有：血液常規（CBC）、生化檢查（肝腎功能）、維他命B12濃度、甲狀腺功能、梅毒血清檢查（梅毒在第三期會影響腦部）等；後者有：紅血球沉澱速度、愛滋病檢查、胸部X光、尿液檢查、腦脊髓液檢查等。

神經影像檢查：電腦斷層（CT）、核磁共振（MRI）、正子放射（PET）、單光子放射電腦斷層攝影（SPECT）等，醫師可藉由影像醫學來確認腦部的變化，瞭解腦神經萎縮與否，萎縮的部位，導致失智症的其他病症跡象等。

失智症十大警訊

父親每個月都有一次同學會聚餐，這已是三十多年來，生活中重要的活動。以往他早就準備這一天的到來，後來，到了那一天，他卻忘得一乾二淨，提醒多次，他還是怨我們沒有提醒。

一般人偶爾忘記約會、朋友來電，但過一會兒或經提醒會再想起來。但失智症長者忘記的頻率比較高，即使經過提醒，也無法想起有那麼一回事。我們明明曾告訴或提醒父親，父親卻完全否認還生氣罵人，說：「你們亂講，胡說八道！」

我們認為老年人會健忘，是一種正常老化的現象，而失智症其中有一項明顯的症狀——「記憶障礙」，往往因此被我們忽略了。

健忘就好像大腦檢索能力出現障礙，一下子找不到存放在大腦的檔案，如果經旁人提醒或指點一下，會想起檔案在哪，能取出檔案內容。失智症的長者大腦輸入儲存能力出現障礙，一方面，根本在大腦中沒有儲存這個檔案，旁

人提醒或指點也都沒用；另一方面還會否認有這件事，甚至與旁人起爭執，以保護自己是對的。

從小，我們家的年節都是由父親親自掌廚，能做出道地的福州菜，讓他樂在其中，當父親不再進廚房大顯身手時，我們以為他年紀大了，嫌麻煩不想做菜，誰知，背後竟然是失智症的影響，忘記他原本熟悉的事務與技能。

父親就曾指著「杯子」要我們拿「喝水的東西」給他、「唱歌的人」代表「歌星」、「送信的人」是「郵差」、「用來寫字的」表示「筆」等，這些說法都沒錯，但是聽起來怪怪的，後來我才知道他對命名與語意已產生困難。一般人偶爾會想不起某個字眼或詞不達意，失智症長者想不起來的機會更頻繁，甚至以替代方式說明簡單的辭彙，產生命名及語意困難。

我的父親的時光機器好像永遠停留在民國八十六年，每次去醫院參加簡短智能評估（MMSE），心理治療師問他今天是民國哪一年，答案都是民國八十六年。一般人偶爾會忘記今天是幾號，在熟悉的地方也可能會迷路。但失智長者失去現實導向、定向感及空間感，會搞不清年月及星期、白天或晚

上，在自家附近也找不到回家的路，逐漸喪失對人、地、事、物的正確認知。有幾次陪父親出門，經過十字路口，我發覺他是看有沒有人走，作為他判斷可不可以過馬路的依據，似乎對紅綠燈的意義與辨識產生問題，經細心觀察幾次，推測父親認知功能出狀況。失智症長者的認知與記憶功能逐漸退化，造成判斷力變差和警覺性降低，但他們並未完全「失」去「智」慧及人生經驗。

剛開始回家照護父親時，每天吃完早餐，他出門爬陽明山，起初，我不疑有他，但發現為什麼父親回家時衣服都是乾的，不像運動過的樣子。於是有一天在他出門後，我遠遠跟著他，發覺他坐在家附近的圓環，與人聊天，聊完了就回家，根本沒爬山，他有可能忘記如何走陽明山古道，為了顏面，不願讓我們知道他記憶力不行，但他還是很有智慧的來隱瞞。

失智症像其他慢性疾病一樣，無聲無息的靜悄悄上身，唯有靠生活在一起的家人能去注意長者是否在精神行為上產生異狀，有時，長者已經有精神行為的異狀，但家人往往以長者年齡大，視為一種老化現象，忽略可能是病症所

引發的退化，等到異狀已經嚴重到無法忍受，才帶長者就醫，確診出的結果已是中度或更嚴重程度的失智症。

十二年前，父親初期出現失智症一些症狀時，我們渾然不知，還視為正常老化，現在回想起來，真是後悔，如果當時瞭解「美國阿茲海默症協會」（Alzheimer's Association）所公布的「失智症十大警訊」，就可提早帶父親就醫。「失智症十大警訊」，幫助我們檢視家人是否有類似症狀，如果有一種以上的症狀，可先將長者的行為留下紀錄，包括：發生的內容、時間、頻率、長者的反應、長者最近使用的藥物、環境的因素、家庭最近發生的事件等，作為就醫時，提供醫師診斷的參考依據。

我當時帶父親就醫前，就先與母親討論，父親最近一年或半年內，有哪些精神行為與以往不同，母親與父親生活在一起，比較瞭解，但也因為長時間在一起，對父親暴躁的脾氣、粗魯的言語、怪異的行徑已見怪不怪，只想一味的逃避，所以我就必須更努力去辨別出細微的差異，並紀錄發生時間、詳細

內容、出現頻率、與以往有何不同等。

家人需要事先觀察長者這些方面的精神行為症狀，留下完整的紀錄，可幫助醫師對患者狀況的瞭解，大部分已經是失智症的患者就醫時，往往記不得曾有類似的症狀，甚至會否認，只有靠家人提供客觀的觀察紀錄。

根據許多失智症專科醫師臨床看診的經驗顯示，大部分最後確診為失智症的長者，就診時都不承認有失智症症狀，所以客觀的觀察長者平日行為症狀，及根據醫學檢驗結果，才能有助於醫師的判斷。

照護筆記

1 熟記失智症十大警訊，當家人出現其中一種以上警訊的現象時，應盡早安排就醫，讓失智症專科的醫師協助判斷。

2 「台灣臨床失智症學會網站」提供失智症診療醫師推薦名單，一方面可參考這份名單，另一方面，可請教有經驗的失智症家屬就醫的經驗。

3 就醫前，準備完整長者的精神行為症狀紀錄，有助於醫師進行診斷。

失智症知識

「美國阿茲海默症協會」所公布的「失智症十大警訊」：

1 記憶衰退到影響日常生活
2 無法勝任原本熟悉的事務
3 說話表達出現問題
4 喪失對時間、地點的概念
5 判斷力變差、警覺性降低
6 抽象思考出現困難
7 東西擺放錯亂
8 行為與情緒出現改變
9 個性改變
10 喪失活動及開創力

或者採用AD-8量表來評估。

1 判斷力上的困難：例如落入圈套或騙局、財務上不好的決定、買了對受禮者不合宜的禮物。

2 對活動和嗜好的興趣降低。

3 重複相同問題、故事和陳述。

4 在學習如何使用工具、設備和小器具上有困難。例如：電視、音響、冷氣機、洗衣機、熱水爐（器）、微波爐、遙控器。

5 忘記正確的月分和年分。

6 處理複雜的財物上有困難。例如：個人或家庭的收支平衡、所得稅、繳費單。

7 記住約會的時間有困難。

8 有持續的思考和記憶方面的問題。

說明：得分0～1分代表正常，2分以上則代表已有認知損毀現象出現，請儘早就醫檢查。

失智症的類型與病程

多年來，父親中餐及晚餐前都要喝酒，喝酒方式與邏輯我無法理解，他以威士忌配啤酒，然後表示，這兩種酒都是麥子釀成，所以可以配在一起喝。這件事讓我兩難，為了他健康著想，勸他少喝。我不願幫他買酒，他就自己去買酒，為了省錢，買一些不知名的廉價威士忌及啤酒，我擔心那些酒的成分會更傷肝，只好幫他買有品牌的酒，買酒時都很掙扎，我到底是幫他，還是害他？

有一天，他竟然開始不喝酒了，我以為他想通了，陪他就醫時，高興的向榮總劉秀枝主任說，爸爸終於戒酒了。劉主任潑了我一盆冷水，「是你爸爸忘記喝酒這件事了，這是記憶力退化所造成的。」

父親罹患是阿茲海默症，屬於退化型失智症的一種，是無法根治的類型之一，約百分之六十的失智症患者屬於這種類型。美國前總統雷根、諾貝爾物理獎

得主高錕、我國前經濟部長趙耀東都是這類型。

記憶力退化是阿茲海默症最明顯的特徵，反映在父親身上一開始忘東忘西，不記得物品擺在哪，最讓我驚訝是連他最喜歡喝酒也在一夕之間忘了。讓我們學到：接受事實，並利用這現象去幫助他，重新建立良好的生活習慣。這都是負責記憶的海馬迴（Hippocampus）先受到損傷，隨著發病時間增加與疾病的不斷演化，其他的功能，包括方向感、判斷力、計算力、抽象思考力、注意力、說話理解能力、動作等等也逐漸退化進而產生行為與生活上的障礙，明顯影響生活、工作，並喪失獨立照料自己的功能，瞭解這些退化過程，才能掌握照護的重點。

許多失智症患者都不是單一類型，父親在中重度階段，我們發覺他走路會失去平衡，左側肢體力量不如右側，經醫師安排進行腦部核磁共振，醫師從腦部影像中發現他腦右半部有微血管阻塞現象，也就是「小中風」。

「小中風」發生通常只有短短的三、五分鐘或幾小時以內，患者可能沒有感覺任何異狀，這是發生在腦部末梢小血管出現栓塞，腦血管有細微的堵塞，留下直徑小於一點五公分的小洞，因而稱為「小洞性梗塞」（lacunar

infarcts）。

父親在中重度後，從退化性失智症中的阿茲海默症，合併血管性失智症，照護重點從記憶、認知功能、再加上肢體功能的退化，必須留意走路的平衡與力量，隨時有人在他身邊陪著走，避免跌倒。跌倒是老人失能及死亡的重要原因。

和父親同一照顧機構的張爺爺，每次從椅子站起來，都會讓照服員趕緊走過來，拿拐杖給他並陪他走，因他走路動作緩慢、身體僵直、顫抖、小碎步走路不穩、容易跌倒。這是第三常見的失智症疾病——路易氏體失智症，症狀是以病理變化來命名，與阿茲海默症及額顳葉型失智症不同。

張爺爺常會說，牆上有蟲在爬、看到不存在的人，這些現象我們都看不到，因為他有視幻覺，但這些症狀會有明顯波動，時好時壞，發病週期因人而異。阿茲海默症患者是先認知功能退化，而後才發生動作功能退化；路易氏體失智症患者是，認知功能、動作功能同時退化。

我有位好友的太太不到五十歲，就開始出現不合常理的行為（譬如該安靜時卻一直講話）、衝動、社交退縮、語言表達不流暢，理解困難，個性改變、一直重複某些動作、如來回走到某個地點、重複說一件事、不停開關門或抽屜等。

朋友在照護上十分辛苦，他太太是屬於額顳葉型失智症，通常在六十五歲以前發病，算是早發性失智症（Early-onset Dementia），這類型的平均發病年齡是五十八歲，患者從三十五～八十歲，百分之二十至四十的患者有家族史，腦部病變出現在額葉、顳葉，額葉主管行為、情緒、人格等，顳葉則掌管言語功能。

這類患者早期常會與憂鬱症患者不易分辨，但額顳葉型失智症患者的認知功能會退化，憂鬱症患者的認知功能受到影響有限。

第四種退化性失智症是巴金森氏症合併失智症，臨床研究巴金森氏症患者比同年齡的到失智症危險性是多六倍，患者有較嚴重的巴金森氏症狀，特別是僵硬、姿態不穩、步態問題，在精神問題上呈現憂鬱、幻覺、妄想，在心智

功能的缺損是注意力、執行功能、視覺空間功能等問題，此類患者男性多於女性。台灣中信金控前董事長辜濂松是巴金森氏症合併失智症的患者，他因腦瘤手術在紐約過世。

血管性失智症是第二常見的失智症，電影《鐵娘子》（The Iron Lady）描述前英國首相鐵娘子柴契爾夫人，她在多次中風後，情緒及人格改變、動作緩慢、反應遲緩等行為症狀，她就是血管性失智患者。這類型原因包括有多次腦中風引起，造成腦部血液循環變差、腦細胞死亡，因此智力衰退，東方人常見這類型的失智症。

中風患者若存活下來，每年約有百分之五的患者會罹患失智症，追蹤五年後，得失智症機會約有百分之二十五。臨床症狀則依腦血管病變而定（Patch lesion）。一般呈現階梯式退化現象，常見症狀有：情緒及人格改變、動作緩慢、反應遲緩、失禁、吞嚥困難、步態不穩、易跌倒等。

第三大類型是可治療的失智症，有許多不同的原因造成失智，這類失智症如果及早發現、治療，有機會部分恢復，甚至治癒。

照護筆記

1 有許多失智症長者的類型是混合二種或二種以上的失智症類型。

2 確認及瞭解長者所罹患失智症的類型，可規劃符合長者的照護方式與階段性目標。

3 瞭解失智症長者的病症類型，以該類型功能退化的順序，作為照護上生活活動規劃的要點。

失智症知識

臨床失智症分成三大類：

A 退化性失智症（Degenerative Dementias）：

1 阿茲海默症（Alzheimer's Disease）

2 路易氏體失智症（Dementia with Lewy Bodies, DLB）

3 額顳葉型失智症（Frontotemporal Dementia, FTD）

4 巴金森氏症合併失智症（Parkinson's Disease with Dementia）

B 血管性失智症（Vascular Dementia, VaD）：

1 多發性腦梗塞失智症（Multi-infract）

2 單一腦梗塞失智症（single strategic infarction）

3 小洞性腦梗塞（lacunar infract）

4 Binswanger 氏症（皮質下動脈硬化性腦病變）

5 混合型（mixed vascular）等。

C 可治療失智症（Reversible Dementias, Treatable Dementias）：

1 其他腦部疾病：腦瘤、硬腦膜下出血、常壓性水腦症、慢性腦膜炎、神經性梅毒等。

2 新陳代謝及內分泌障礙的問題：腎上腺皮脂素不足、甲狀腺功能過低、電解質不平衡、缺乏維生素B12、葉酸等。

4 藥物或酒精的影響。

5 中毒。

無藥可醫，又為什麼需注意與及早就醫

從醫師確診父親罹患失智症，我們就蒐集與失智症相關的各種資料及上課學習，一開始就知道百分之九十至九十五的失智症是不可逆的，也就是無藥可醫，父親是阿茲海默症，正是屬於無藥可治癒的類型，但我們還是定期陪父親去醫院回診。

父親出身軍旅，有著標準的權威人格，兒子說什麼都不當一回事，永遠認為「我走過的橋，比你走過的路還多」，哪裡需要聽你的話。但是，看到身穿白袍的醫師就不一樣了，醫師的話言聽計從，醫師對他來說就是一種必須服從的對象。我們在門診時除了瞭解父親病情的變化，最重要的是和醫師討論父親日常作息怎麼安排，要注意哪些事項，將父親不願配合的事告訴醫生，

請醫生再告訴父親。

父親不愛走路，醫師就告訴他每天晚上要去散步，散步對身體好。剛開始時父親十分排斥日照中心，我們就請榮總劉秀枝主任寫了張條子交給父親，上面寫著：「每天要去上學。」下面還有劉主任的簽名。每當父親要賴不想去日照時，我們就拿出條子，告訴父親是醫生交待的，父親就摸摸鼻子乖乖的上車去日照。

從照護父親的經驗上來說，我認為請失智症專科醫師看診有八大好處：

1先由專科醫師確診是否為失智症及發展的病程，我們才可明確瞭解長者所患失智症的類型、病程的發展。

2可經由專科醫師協助瞭解此一失智症類型在病程發展上，所面臨的認知、記憶功能的退化、失智症精神行為症狀有哪些，提供非藥物治療的方式，及如何照護。

3可經由專科醫師開立的藥物，以試圖延緩失智症的退化。

4對於失智症長者的其他疾病進行整合性診療。

5對於失智症長者的所有藥物進行檢視，避免多重用藥的可能。
6患者及家屬可向醫師請教、選擇、規劃未來照護方式。
7家屬可參加醫院舉辦照護訓練課程。
8如果醫師有失智症藥物研究計劃，可透過討論考慮是否讓長者參加。

面對它，先做準備，就不會發生措手不及的遺憾。失智症有不同類型，每一種類型失智症的病程內容並不完全一樣，所以經由專科醫師確診是否罹患失智症，及所患失智症的類型、目前的病程，有助於家屬依失智症臨床研究成果來瞭解失智症、認識失智症精神行為症狀及病程等資訊，才能進一步由家屬與長者來討論未來的照護方式，及生活方式等。

記得民國九十四年，我陪同父親到中國返鄉探親，進行非藥物療法中的懷舊療法時，接獲榮總劉秀枝主任的電話，她告訴我，台北榮總護理部有安排家屬照護訓練課程，建議我可以去上課。

劉主任退休後，父親成為王培寧醫師的病人，王醫師更進一步在每季安排失

智症照護演講，邀請學者專家分享研究及照護心得，我們受益良多，這些資訊對家庭來說是重要的助力與支持，如果我們沒有定期陪父親就醫，可能就得不到這些訊息。

現在許多失智症家庭出現在社會新聞上的悲劇，大都導因於對失智症、失智症精神行為症狀及病程等的不瞭解，仍將長者當成未患病前的那個家人。長者因失智症造成認知、記憶功能的退化，並不是自願如此，這是無法改變的事實，既然罹患失智症，照護者就要以智慧及方法去面對，才能解決問題，醫師的指導及家屬訓練課程，都可以幫助家屬照護知識與技能。

當年，劉秀枝主任曾主持「何首烏在失智症患者的藥效上研究」，我們就因定期回診，知道這個訊息，也為父親報名參加。

失智症病程，大致分為三階段：輕度、中度及重度等，在美國早期則分為七階段（FAST Scale）：正常成人、正常老人、早期失智、輕度失智、中度、中重度、及重度失智症等。過去往往是家屬發現長者出現精神行為症狀，對生活產生影響時，才去就醫，通常經醫師診斷後，大多已然是中度失智症，如

果能及早發現，立即就醫及確診，就有更充足的時間來規劃與準備，甚至建立新的生活模式減緩退化。

失智症雖不會直接危及生命，但患者逐漸失去生活自理能力，平均可存活八至十二年，甚至也有部分年輕的病患存活長達二十多年，家庭及照護者對於長者的照護方式直接影響時間的長短。

知識是針對未來的可能，提前進行準備；智慧則是運用知識改變人生的鑰匙。失智症並非那麼可怕，可怕的是我們的無知與漠視。

照護筆記

1 失智症生活照護要靠家屬及照護者，醫療專業人員僅提供諮詢及方法，執行還得靠家人。

2 瞭解就醫的目的，有正確認識，才能得到醫療專業人員的協助。

3 慢性疾病均需進行生活與環境改造，重新建立適宜的規律化生活方式，失智症照護更是如此，不能依賴藥物，藥物不是萬能的。

失智症知識

失智症家庭及照護者為何辛苦，原因有四：

1 失智症精神行為症狀，病程平均長達八至十二年，最耗費照護人力、財力、時間及精神。

2 患者大都為長者，會有多重共病及多重用藥情形，也就是罹患兩種以上的慢性疾病及可能重覆用藥。

3 失智症重度時，長者認知、肢體、言語、吞嚥等功能退化，增加照護困難度。

4 失智症長者在每一階段的狀況不一，照護者及家人必須不斷學習新的照護知識與技巧。

第3章

家人的照護資源分配
家人照護共識及需要學習哪些？

與父親一起去上課

剛搬回父親家，我還沒為他規劃規律的生活方式之前，先觀察他原有生活方式，那是精神行為症狀較多的階段。當時，雖然母親離世，但他還活在被母親遺棄的妄想中。白天，他坐在客廳，打開電視，聲音調得非常大聲，然後打瞌睡，我發現：不是他在看電視，而是電視在看他。

他根本沒注意電視在播放什麼內容，只是將電視打開，把聲音調大，因為他害怕，想讓聲音來保護他。過去，母親躲避他的壞脾氣及暴力行為，經常到朋友家打麻將，他一人在家，一害怕就胡思亂想，怕母親遺棄他、怕有人會來害他，為了顏面與尊嚴，他說不出口，就用武裝來保護自己。

父親白天睡覺，晚上就睡不著，精神可好了，到了睡覺時間，我們回房關門就寢。凌晨，他開我們房間門、開燈，檢查我們在不在？太太從報社看完版面大樣下班，回到家就寢都一點以後，剛睡著，就被父親驚醒，當然我們一

晚都別想好好睡了。太太在辦公室精神不濟，情緒也跟著大受影響。因短期記憶喪失，到了白天，他忘記凌晨做了什麼事，我們請他晚上可不可以好好睡覺，不要來打擾，他說，「胡說八道，我哪有去你們房間。」

我知道與他爭辯，只有造成家庭氣氛更糟，彼此關係更差，對改善現況毫無幫助，他認知與記憶功能受損，不是他故意製造問題，是病症的關係。所以，我開始學習失智症非藥物療法的生活作息，試著為他規劃規律的生活方式。先安排他白天去日間照顧中心，參與活動，增加與他人的互動，正常生活就不會白天睡覺；父親曾受軍事教育，雖已八十三歲，體能還是很好，晚上則安排散步運動，消耗他的體力，如此，晚上終於全家都能有個好眠。

為了順利帶父親去日間照顧中心，期間的過程也是波折不斷。我花了一番時間研究及探訪了所有的日間照顧中心，找到一家適合他的。第一天準備要送父親去，出門前，他坐在大門口大喊：「救命啊！兒子不孝，要送我去養老院。」鄰居紛紛出來探究竟，我則尷尬不已，百口莫辯，只好先請父親回家，打電話到日照中心說明狀況，表示今天可能去不了。

後來，我想到我有同學在附近的醫院當醫師，以父親的權威人格，會聽醫師的話。於是我請他打電話告訴父親要去醫師那邊作檢查，父親接了電話以後，半信半疑。我告訴他不去醫院檢查，到時會被罰錢。如此這番，他才終於願意出門。

日照中心就在家到醫院路途的中間，我們從家中散步過去，我故意走進日照中心所在的大樓，告訴他，我們先上樓找朋友。他雖存疑，但還是跟我搭電梯上樓。進了日照中心，中心人員立即安排一位與父親年齡相近的長者與他聊天，安撫父親的情緒，但他依舊向他們「訴苦，抱怨」。

戲不是就這樣結束，每天父親要下課時，日照中心人員都跟父親說好話，希望父親第二天來與她們見面，與其他長者一起活動，父親為了給對方顏面，當然答應說好。日照中心人員接著請父親自己寫一張紙條，上面寫著他第二天會來日照中心。

在去日照中心的第一個月，出門的戲碼幾乎天天上映，父親自己的紙條、醫師寫「要上課」的紙條輪流用，他還曾對他前一天寫的紙條存疑。

我們整天陪他一起上課，他眼睛總是一直看著我，深怕被「遺棄」，這些都是他精神行為症狀的表現。經過我們的付出與努力，一段時間規律化的生活，才取得他的信任，父親的情緒逐漸穩定，再加上又有外勞整天陪著他，終於能安心去上課，家庭生活才恢復正軌。

甚至，週末早上，他還是穿好衣服準備去日照中心上課，因他失去現實感及短期記憶，弄不清星期六及星期天日不用上課。

照護筆記

1 長者的精神行為，有其背景因素，先掌握原因、尋找方法，多準備配套方案，見招拆招，借力使力。

2 失智症長者的精神行為症狀對家庭生活影響甚大，對長者健康與安全也有影響，要靠非藥物療法內容的日常生活來改善。

3 重新建立適宜的規律化生活方式，才能降低精神行為症狀的產生。

失智症知識

失智症家庭生活為何會受到影響：

1 不瞭解失智症。

2 不懂如何照護長者的失智症精神行為症狀。

3 不懂建立照護體系。

4 不懂非藥物療法及如何與生活結合。

5 不懂社會資源的結合與運用。

6 家人對失智症認識不一，產生對疾病及照護意見不一，爭議與衝突因此產生。

7 家庭對照護責任意見不一。

8 對家庭經濟形成負擔與壓力。

9 對家人原有工作與作息產生影響。

---

10 對患病的長者與家人的角色產生對調與衝突。

11 家人因增加照護工作，對體力及心理形成新的壓力與負擔。

12 因外界仍以原本互動方式信任失智症長者的話，但長者的精神行為症狀下的言語內容，可能訴說家人不孝、沒給他飯吃、配偶對他不忠等，讓外界會指責家庭或照護者。

家庭同心協力共同照護

遊走、欠缺定向感，在家附近，也可能找不到回家的路，是許多失智症長者都會有的症狀，這對家屬及照護者是極大的挑戰與負擔，一個閃失，長者就不見了，常見的社會新聞是發現長者時，已是天人永別，家人是否能同心協力共同照護就非常重要。

為了父親健康及減緩失智症的退化，我們為他規劃規律的生活方式，週末白天，他不必去日間照顧中心，我們會安排他到家旁的小學操場走路。有一次，太太要準備午餐，我要幫父親整理房間及衣物，他在家時，我們都不敢去碰，免得他不高興，請菲傭陪他散步，利用他不在家時，趕緊幫他整理。我心想幾個週末以來，已經帶父親及菲傭走過很多次，而且小學就在家旁邊，應該沒問題，菲傭也拍胸脯表示，她可以勝任。

結果，一個小時後，菲傭哭喪的臉跑回家說，「伊爸爸不見了！」這下可好了，最怕見到的事，發生在我們家，我們夫妻倆急得像熱鍋上的螞蟻，先問

菲傭到底發生什麼事，瞭解清楚父親是在哪裡走失的，接著我規劃三人如何分頭找人，約好如何聯絡及一個小時後回家會合。

小學、公園、日間照顧中心、派出所、醫院急診室、家附近寺廟等，都找過了，沒有人看到父親的蹤影。我們真是心急如焚，菲傭也知道事情嚴重了，開始大哭，看她哭得那麼傷心，我們也不忍心責怪她，愁雲慘霧籠罩著我們時，父親竟然用鑰匙開門回家了。

陽光隨著父親身影曬進我們家，大家轉愁為笑，問父親上哪去了？他說，出去散步，我們再問怎麼回來的，他說，坐計程車。

我趕緊請父親回房間換衣服，同時洗把臉，準備吃中飯，菲傭幫太太到廚房將飯菜拿到餐廳，其他就不談了。

這次可讓菲傭及我們分別學到一門課，菲傭從此知道：伊爸爸如果不高興，她可暫時保持距離，但絕不能讓伊爸爸離開她的視線。

我們學到的是：我與太太必須同心協力共同照護父親，菲傭僅能協助體力及技術層面的工作，決策絕對要我們自己來，從那件事以後，我與太太一定有一人，陪伴父親及菲傭在家或外出。

當天我們在父親晚上就寢後，一起與菲傭吃點心，其實是開會，將父親每天作息表以英文向菲傭解釋一遍，讓她先聽懂，確定瞭解意思以後，再請她用她熟悉的語言文字寫下來。

第二天起，我與太太輪流陪著，從早上父親起床前，菲傭提前半小時起床，先做哪些準備，接著父親起床、穿衣、刷牙、洗臉、做運動等作息，我們一一先示範給菲傭看，如何儘量讓父親自己做，原因是我們希望父親能繼續保有日常生活基本能力，不要幫他做，免得久了他會忘記這些動作，退化更快。

重點是讓菲傭清楚照護者的角色，我們則成為照護經理人，隨時注意父親認知、記憶、肢體功能退化情況，是否要調整照護計劃、非藥物療法活動內容、藥物等，在旁觀察留意並做紀錄。當然，我們還可帶本書在旁陪伴時看，或帶著筆記型電腦寫文章。

那次經驗還告訴我們，父親記憶及認知功能，經過我們非藥物療法活動及規律化的日常生活方式，有穩定的現象。我們不敢說是進步，但他認得回家的

路，還會用身上的錢，搭乘計程車回家，也會使用鑰匙開門進來。但最好不要發生，因為一不小心，萬一失智症長者真的找不到回家的路，後悔就來不及了。

照護筆記

1 家人對照護的共識十分重要，各自角色與功能可先做規劃。

2 外籍看護是需要溝通與訓練，才能成為家庭共同照護的好幫手。

3 外籍看護原有的教育與經驗是有限的，千萬不能將照護失智症長者的責任全部交給她們，後果是家庭要自己承擔。

家庭關係凝聚與重建

當面對問題時，人們一般在心態上不外乎：面對、逃避、及在面對及逃避之間難以決定。每一個對家庭的價值又有所不同，這與每個人從小受到家庭生活、教育、同儕、媒體等有所影響。

我原本對家庭是逃避的，父母都是軍人出身，具有權威人格，從小就在他們打罵教育下成長。當我有機會看到同學或其他的家庭，父母與子女的關係是理性、尊重、討論的方式，我常在想，我要如何去改變他們，幾次嘗試結果都是遭到他們基本邏輯打壓：無論我讀再多書，父母永遠是對的，我是他們兒子，就必須聽從他們。

無法改變他們，只好改變自己。我遇到任何事情，都與太太討論，重視溝通與尊重。當母親罹患大腸癌，安排她就醫、住院、開刀、復健，我也是擔任二十四小時看護，閱讀這疾病有關的書籍，與她主治醫師討論與請教，如何

照護及進行復健。母親十分驚訝，在她眼中，我是最叛逆的兒子，為何有如此的改變，另一方面，我怎麼會懂照護與醫療相關的知識與技能，竟然會幫她術後復健、身體清潔、造口清理等。

我已理解：無法改變他們，就先改變自己，因為他們是我的家人。

當母親過世，我搬回父母家去照顧父親，已經罹患失智症的他，認知功能已逐漸受損，我更無法改變他，但我就抱持改變自己，去接受他，去照護他，因為他是我父親。

父親不喜歡「洗澡」，他觀念中的洗澡：是拿毛巾從頭到腳擦拭一遍，就是「抹澡」。後來，我才瞭解，這與他早年軍旅生活有關，戰爭哪會有水可以洗澡，能有機會趕緊用毛巾或布擦拭身體就算是洗澡了；另一方面，在福建省政府工作的大伯，於民國三十六年，在閩江淹死，「水」在他的心中留下陰影揮之不去。

為了他的健康與衛生，我先將洗澡水備好，自己先脫去外衣，剩下內褲，帶他進浴室。當然他衣服還在身上，我「不小心」淋濕我們，趕快向父親道歉，

並說既然衣服濕了，我們一起脫掉，換一套乾的衣服。當他脫掉衣服，立刻淋水及上洗髮精與沐浴乳，再沖乾淨，前後不到兩分鐘，真是個戰鬥澡。當然，洗的時候，他會罵人，大叫「眼睛進水會瞎了，耳朵進水會聾了」。之後，每天洗澡時，我總會附和他說，「眼睛進水會聾了，耳朵進水會瞎了」，剛開始他沒查察覺我故意說反，為了顏面，罵我「胡說八道」。

有一天在幫他洗澡時，他突然說，「兒子，辛苦你了！」此刻，我眼眶中，不知是汗水、洗澡水、還是淚水。我可以確定的是：輕度失智症長者雖然認知功能逐漸受損，但不表示，完全沒有認知功能。

經由我們在照護上的付出，父親情緒的穩定，安全感的提升，都有助於認知、記憶功能減緩退化，親情是最佳良藥，如果我沒有去照護失智症的他，這一輩子可能沒有機會去重建家庭關係。

照護筆記

1 家庭關係的重建與凝聚，必須要有家人先付出，這關係著失智症照護體系的建立。

2 培養失智症長者衛生與健康習慣，需用耐心、智慧、技巧、時間，才能逐漸「改善」，不要寄望一蹴即成，也不要求滿分，先接受現況，從中逐步進行改善。

3 失智症長者最多的就是「時間」，就用時間去換取改善失智症長者的可能。

失智症知識

當長者被確診是失智症患者，認知、記憶功能會逐漸受損：

1 但每一位長者受損部位、退化程度不一，影響他們的功能也不同。

2 失智症長者會因親情、情境喚起過去的感情或認知。

3 非藥物療法對減緩認知、記憶功能退化，是有幫助的。

重新認識長者

當醫師確診父親在輕度認知障礙（Mild Cognitive Impairment, MCI）階段，與他同住的母親告訴我們，他變得疑神疑鬼，常將重要的物品收起來，卻又找不到。母親將父親銀行帳戶的錢都轉入她的帳戶，避免他有狀況，但他又將母親印鑑及存摺收走，東藏西藏，母親要用時，總是找不到，只好去銀行重新申請存摺及掛失印鑑，銀行人員每次看到母親臨櫃，都在猜今天是否要重辦存摺。但母親心目中的父親，還是原來的他，只是脾氣更壞、記性更差，母親不認為父親生病或有重大變化，她認為人老了，就是這樣子。

當我搬回家照護父親，他已退化成輕度失智症，我們先蒐集及閱讀有關失智症的資料，瞭解父親因認知、記憶功能逐漸退化，會改變他的行為，甚至是有精神行為症狀，雖然他的外表不會有太大的改變，但行為會慢慢變為另外一個人，我們知道那是失智症退化所致，這位「新」的人還是我們的父親。

父親會有哪些改變？這部分對家人及照護者極為重要，如不瞭解，照護生活會有困擾。記憶功能退化先影響短期及即時記憶，剛說過的話，馬上記不得。譬如：為了讓父親願意去運動，事先拿出他最喜歡的燕麥餅乾，等到吃完餅乾要做運動時，他卻說，「哪有？我哪有答應你去運動？」

有時，我會請他將允諾的事寫在紙條上，他若否認，就拿他寫的紙條給他看，他會變得半信半疑，因字跡是他寫的，但他卻不記得有這一回事。

認知功能的退化，會產生失用症、辨識能力受損、失語症、命名能力受損、語言障礙、執行功能、定向感及空間感受損等。

我們發現父親到了重度階段，他不會使用電話、手腳雖可活動，但不願再拿起菜刀，表現他的絕活刀功——切腰花及魷魚、從褲口袋拿出家門鑰匙，卻不知如何使用了。這些現象因為我們的非藥物療法及每天的規律化活動，使父親每天有機會去「聽」、「講」、「做」，功能喪失不致於那麼快。

但無論在輕度認知障礙或輕度失智症時，父親與其他百分之九十的失智症患者一樣，都有精神行為症狀，但我們知道他還是我們的父親，是受失智症的

病因影響所致，他的行為不是故意的，更不是給我們找麻煩。

隨著失智症退化程度發展，從輕度、中度、重度、到極重度，父親已經不再是我們過去五十年所熟悉的父親，最後，他的認知、記憶、肢體功能退化到可能叫不出我們的名字，但他看到我們會笑、他已經失語，不再輕易說出一個字、他的雙腳已無力走路，需要坐著輪椅，即使坐在輪椅上，因為背部的力量無法支撐他的身體，坐在輪椅上東倒西歪、嘴部肌肉無力及神經退化無法指揮嘴巴密合，會一直流口水。

我們還是知道，他永遠都是我們的父親，只是我們要重新認識他。

「人雖未離去，但已經再見！」

Goodbye without leaving

「身雖在此，心卻不在！」

Psychological absence with physical presence

CDR=1

認知及記憶功能、日常生活功能、

精神行為症狀

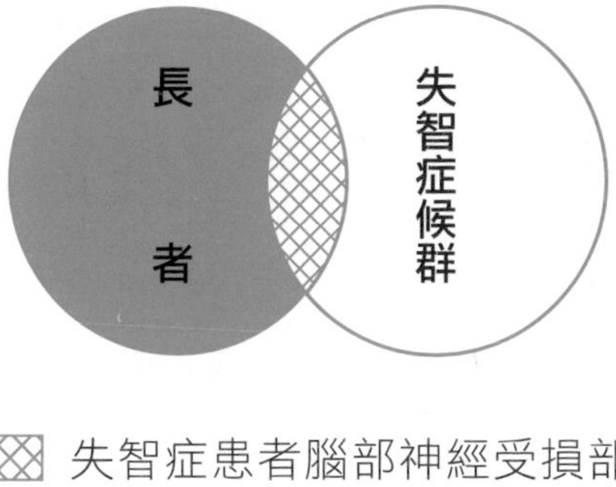

失智症患者腦部神經受損部分

輕度失智症CDR＝1，左側棕色是我們原本所認識的長者，右側棕線是醫療人員所瞭解輕度失智症長者的症狀，中間交集部分是長者開始改變的部分，每一位失智症長者改變的都不完全一樣。

中度失智症CDR＝2，中間交集部分開始增加，失智症長者改變得更多。

CDR=2

認知及記憶功能、日常生活功能、精神行為症狀

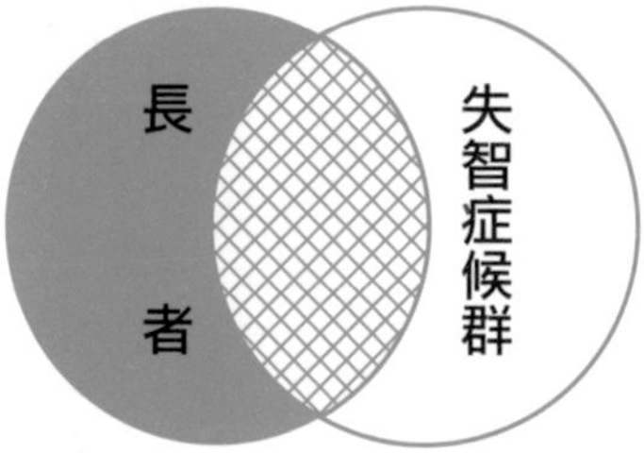

重度失智症CDR＝3，左右幾乎重疊，失智症長者改變的已經與原來的他完全不同。

CDR=3

認知及記憶功能、日常生活功能、精神行為症狀、肢體功能

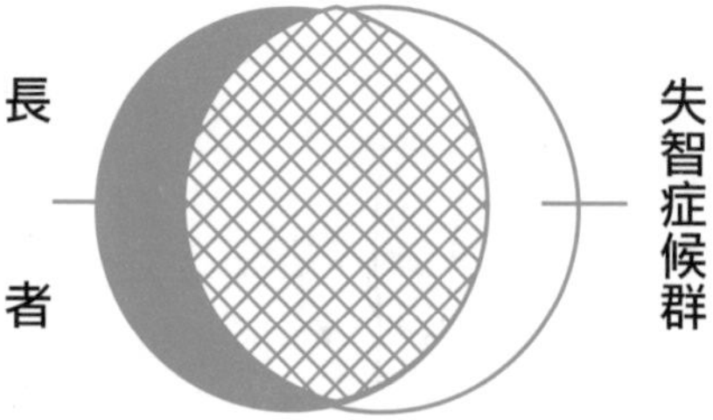

失智症患者腦部神經受損部分

照護筆記

1 唯有靠非藥物療法的活動，規劃適合長者興趣與條件的日常生活作息，才能減緩認知、記憶與肢體功能的退化。

2 但無論我們如何努力，退化是無法阻擋的，雖心裡不願接受失智症長者的改變，但要學習坦然面對。

3 失智症長者的改變是病情所致，家人及照護者要能掌握在不同病程階段中，何者還是原來的長者，何者已是受病情所改變的長者。

財務規劃

當民國八十八年，醫師確診父親為輕度認知障礙，我就開始進行財務規劃，我們知道無法改變父母的生活方式，及他們對失智症的病識感，更不可能請他們為未來照護上所需要的財務進行規劃，只有改變自己，開始進行準備。財務是最重要的項目，沒有錢，生活及照護品質會受影響，照護已是極大的壓力，若再加上財務壓力，猶如火上加油。

根據美國研究發現，一位失智症患者平均每年照護費用，約為十七萬四千美元，約新台幣五百二十萬，當然兩國生活指數、物價有所不同，但家中有位失智症長者，有些費用勢必支出，必須做事前的規劃與準備。

費用會隨著長者失智症類型、病程、生理、肢體等退化程度與階段不同，而有所不同，有時只是支出時間的先後差異，譬如：環境的改造，以通用設計或是無障礙空間規劃，肢體功能良好的輕度失智症長者並不急於一時，但對

肢體功能先退化的長者，血管性失智症或是巴金森氏合併失智症長者的肢體會先受影響，環境需要先進行改造，這部分費用可從數萬元到上百萬。領有身心障礙手冊長者，政府有提供補助，目前每戶補助上限為十萬元。

父親剛被鑑別診斷為輕度，肢體功能還很好時，我們一搬回家就先做準備，首先在父親動線的牆面全加裝了扶手，從臥室、浴室、客廳、飯廳、大門口等，考慮到未來輪椅進出浴室，則將浴缸及門檻打掉。早在父親輕度，記憶功能上未完全退化就進行環境改造，有助於讓父親先熟悉環境，待記憶功能退化，還能記得動線及扶手位置，為日後預作準備。

至於，生活費用預算的規劃是以家庭平常每月支出，再加上六萬，隨退化程度再增加，中重度時，每月加上八萬至十萬，每年外加醫療準備金二十萬元。六萬元是如何估算？如果入住機構，平均每月是六萬元，如果住在家中，聘用外籍看護，每月支出至少兩萬二千元，包括：薪資、勞健保、就業安定基金、仲介費用等；此外，日間照顧中心費用每月平均兩萬二千元，剩下一萬

六千元可作就醫、藥物、交通等費用準備。

退化後，紙尿布、營養品、醫療器材（鼻胃管、尿管、抽痰器材）、醫療用品、輔具等的費用，都是必要的支出，預算平均每月以兩萬至四萬元拿捏計算。

失智症的藥物方面，健保評估，如果在輕中度已使用過的藥物，被視為藥效有限或無效，便不再給付。通常醫師都會建議家屬，如果家庭經濟條件許可，自費購買，以減緩長者的退化速度，有的醫師建議使用兩種藥物，平均每個月失智症藥物費用約五千元。

以臨床研究，失智症患者可存活平均八到十二年，以每個階段四年來看：

輕度預算：六萬X12個月X4年＝二百八十八萬

中度預算：八萬X12個月X4年＝三百八十四萬

重度預算：十萬X12個月X4年＝四百八十萬

外加上每年的醫療準備金二十萬X12年，要二百四十萬，保守估計十二年準備一千三百九十二萬元，這未包括家庭平常基本的生活費用。

如果長者在輕度認知障礙或輕度失智症階段，仍可自行規劃財務時，可先為將來照護方式與費用規劃與準備；當長者認知功能已缺損，子女就必須挑起規劃與準備的責任。如果家庭財務較吃緊，應提早集合全家人一起討論，如何運用現有家中人丁轉變為照護人力，有效地減輕金錢上的負擔。

財務規劃是照護失智症長者必要的考量與準備，隨著每位長者的狀況不同，所需費用有所增減，但至少要先有規劃與準備，這是一切照護品質的基礎。

照護筆記

1. 錢無法提供好的照護品質，但沒有錢，很難去談照護品質，必須理性規劃與準備。

2. 雖然照護失智症長者需要相當的預算規劃，但可善加利用社會資源與政府社福補助，包括：無障礙空間改造、輔具，喘息服務等項目，可減輕家庭經濟負擔。

3. 失智症照護是條漫長的路，及早進行財務規劃與準備，建立家庭共識，可減少家庭衝突與壓力。

失智症知識

1 由於失智症長者的精神行為症狀，照護上十分辛苦及耗費人力，美國研究顯示，要有好的失智症照護品質是需求三位照護者去照護一位失智症長者。

2 如果家屬及照護者懂得非藥物療法的運用，這部分並不需要耗費金錢，以現成物品或少量金錢即可進行。

3 重度及極重度階段如，如果失智症長者進入肢體功能完全喪失，也就是全癱，費用支出與植物人一樣。

失智症在不同階段的照護上目標會不同

父親的失智症是阿茲海默症，屬於退化型失智症中的一種，一般這類別的長者是記憶功能先退化，接著才是認知及肢體功能。如果是巴金森氏症合併失智症長者，或是血管性失智症則可能肢體功能先受影響，路易氏體失智症的長者則是肢體與認知功能同時退化，額顳葉失智症長者是認知功能先退化，早期會出現明顯行為及人格變化。無論哪一類型或種類，到重度階段，認知、記憶、肢體功能都一樣退化到成為一位家人已完全不認識的人。

這就是為什麼我們要去學習認識失智症類型與病程，唯有瞭解之後，才知道如何為父親進行階段性照護目標與計劃的擬定。在父親輕度階段，我們發現他的拐杖是用來防身及打人，事實上，他的肢體功能十分良好，但會有睡眠障礙，白天打瞌睡，晚上不睡覺，會有被偷妄想及被遺棄妄想等精神行為症狀。

在這個階段，我們就開始規劃規律性生活作息，以強化肢體、認知功能的活動為主，對記憶功能則先以長期、中期記憶為主，短期及即時記憶為輔。同時，給予心理的安撫及情緒的穩定，因為我們剛搬回家照護他，父親產生了被害妄想；過去母親常將他一個人丟在家中，產生被遺棄妄想。

我們平日安排父親去日間照顧中心參與活動，前面兩個月，我會在那裡陪伴，他雖然一邊參與活動，一邊還會眼睛看著我，深怕我丟下他跑了；過了一個多月，他慢慢熟悉那裡的環境與建立新的友誼，才開始減少盯著我，我知道我可以減少停留陪伴的時間，這都是給予心理支持的具體作法。

日照中心每天會安排各種職能治療性質的活動，有音樂、美術、書法、韻律操、懷舊、折紙、寵物治療、打麻將等活動，雖然無法為個人進行量身裁製活動，但我們會與照服員說明及討論父親現階段適合哪些活動。

晚上，我們會在餐後帶父親去運動公園散步，雖然父親有些抗拒，但我運用他被遺棄妄想的症狀，我在前方慢跑，菲傭在他身旁陪著走，他則一路追著

我走，深怕我真的遺棄他。一位八十三歲的輕度失智症長者每天可走五公里，身體更健康、人更有精神，晚上自然睡得安穩，精神行為症狀也隨之降低。週末時，他不必去日照中心，我們還是依日照中心課表安排家中的活動，週六及週日都會安排兩小時打麻將，我們家只有父親、我、太太及菲傭四個人，為避免三缺一，只好將菲傭訓練成會打麻將。我曾開玩笑說，我們家菲傭牌技好，可回菲律賓開麻將館。

從打麻將及拼圖等活動長期下來，我們觀察出父親退化與穩定的情況。輕度階段，父親對麻將的吃牌、碰牌、補牌、胡牌都有概念，只是他習慣作大牌，胡牌就要胡很大的牌。等他退化到中度時，原本是我們三人陪他打，變成他陪我們三人打，因為他已經無法明確掌握吃牌、碰牌、補牌，至於胡牌，那就更別提了，至少，他還能坐得住。

拼圖則是從一百多片，一路降到極重度時的四片拼圖。在這裡要特別提醒家屬及照護者，失智症長者因認知、記憶功能的退化，他們在進行拼圖的方式，與我們是不同的，我們會先想整體圖案、顏色、大小及形狀等，他們僅會以

後兩者來進行拼圖，失去對整體圖案與顏色的認知與記憶，選擇一片拼圖去試大小及形狀是否「吻合」。無論他們用何種方式拼圖，還是有辦法完成，只是使用時間多少的差別。

我們要關心的是：長者是否能專注、是否願意做、是否有成就感。我們更要注意的是：他快不快樂、開不開心。結果不是重點，過程才是重點，又不是準備訓練長者成為世界拼圖冠軍。

照護筆記

1 醫療與生活照護雖同等重要，在目前無藥可治癒下，生活照護會比醫療照護還要重要，要提供非藥物治療活動內容的生活方式。

2 生活照護需要個人化的照護，就因每位長者的失智症類型、病程、生理、心理、個性、成長、教育、經濟、興趣等不同，要以長者為中心量身裁製照護計劃。

3 失智症照護是長者不同階段，給予不同目標及計劃內容，共同目標是：安全、快樂、降低精神行為症狀、減緩退化、維持生活品質。

失智症知識

失智症長者在輕、中、重度的照護重點：

1 輕度：發現、鼓勵使其發揮現有能力，激發潛力，維持工具性日常生活功能及日常生活基本功能。

2 中度：學習不再是重點，參與、互動是重點，盡量維持工具性日常生活功能及日常生活基本功能。

3 重度：使其對外界刺激能有反應，維持其專注力，避免失去與他人或外界互動的興趣與能力，維持日常生活基本功能。

阿茲海默症病程隨時間和嚴重度而變化

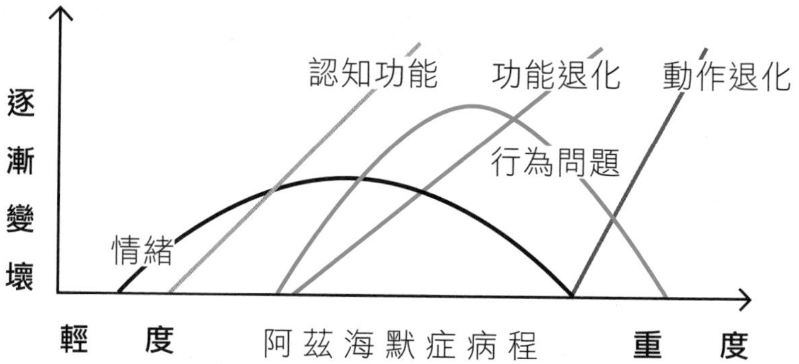

失智症的病程

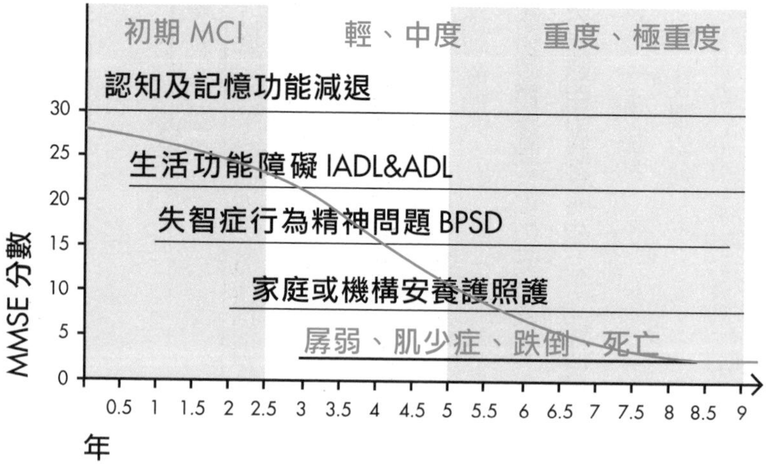

老爸的生活課表

輕度失智症患者生活作息表

時間	活動內容	非藥物治療意義
6:00	起床 盥洗 如廁	日期時間（現實導向）
6:30	晨間運動	肢體活動
7:20	澆花	園藝療法 現實導向 IADL
7:30	早餐	視覺味覺肢體活動 營養
8:00	盥洗 如廁	觀察示範協助
8:30	更衣	記憶視覺肢體活動
8:45	出門坐車	前往日間照顧中心
9:00	抵達日照中心 如廁	社交觀察示範協助
9:15	拼圖、走路活動	認知訓練 肢體活動
10:00	第一堂課	肢體美術音樂歌唱寵物等職能活動
11:00	如廁	觀察示範協助

11:30	中餐	視覺味覺肢體活動 營養
12:10	如廁 刷牙	觀察示範協助
12:30	午休	觀察示範協助
13:45	第一堂課	下午茶懷舊肢體美術音樂歌唱等職能活動
14:30	如廁	觀察示範協助
14:45	點心時間	視覺味覺肢體活動 營養
15:00	拼圖、走路活動	認知訓練 肢體活動
16:00	如廁	觀察示範協助
16:30	坐車返家	返家
16:45	如廁 更衣	記憶視覺肢體活動觀察示範協助
16:55	餵魚	寵物療法 現實導向 IADL
17:00	晚餐	視覺味覺肢體活動 營養
18:00	如廁 刷牙	觀察示範協助
18:15	晚間運動出門散步	肢體活動
20:00	如廁盥洗	觀察示範協助
20:10	拼圖、讀書、寫字、算術	認知訓練
21:00	如廁就寢	觀察示範協助

中度失智症患者生活作息表

時間	活動內容	非藥物治療意義
6:00	起床 盥洗 如廁	日期時間（現實導向）
6:30	晨間運動	肢體活動
7:20	澆花	園藝療法 現實導向 IADL
7:30	早餐	視覺味覺肢體活動 營養
8:00	盥洗 如廁	觀察示範協助
8:30	更衣	記憶視覺肢體活動
8:45	出門坐車	前往日間照顧中心
9:00	抵達日照中心 如廁	社交觀察示範協助
9:15	拼圖、走路活動	認知訓練 肢體活動
10:00	第一堂課	肢體美術音樂歌唱寵物等職能活動
11:00	如廁	觀察示範協助
11:30	中餐	視覺味覺肢體活動 營養
12:10	如廁 刷牙	觀察示範協助

12:30	午休	觀察示範協助
13:45	第一堂課	下午茶懷舊肢體美術音樂歌唱等職能活動
14:30	如廁	觀察示範協助
14:45	點心時間	視覺味覺肢體活動 營養
15:00	拼圖、走路活動	認知訓練 肢體活動
16:00	如廁	觀察示範協助
16:30	坐車返家	返家
16:45	如廁 更衣	記憶視覺肢體活動觀察示範協助
16:55	餵魚	寵物療法 現實導向 IADL
17:00	晚餐	視覺味覺肢體活動 營養
18:00	如廁 刷牙	觀察示範協助
18:15	晚間運動出門散步	肢體活動
20:00	如廁盥洗	觀察示範協助
20:10	拼圖、讀書、寫字、算術	認知訓練
21:00	如廁就寢	觀察示範協助

重度失智症患者生活作息表 十日照中心

時間	活動內容	非藥物治療意義
6:00	起床 盥洗 如廁	日期時間（現實導向）
7:00	晨間運動	肢體活動
7:20	澆花	園藝療法 現實導向 IADL
7:30	早餐	視覺味覺肢體活動 營養
8:00	盥洗 如廁	觀察示範協助
8:30	更衣	記憶視覺肢體活動
8:45	復康巴士（坐輪椅）	前往日間照顧中心
9:00	抵達日照中心 如廁	社交觀察示範協助
9:15	拼圖、走路活動	認知訓練 肢體活動
10:00	第一堂課	肢體美術音樂歌唱寵物等職能活動
11:00	如廁	觀察示範協助
11:30	中餐	視覺味覺肢體活動 營養
12:10	如廁	觀察示範協助

12:30	午休	觀察示範協助
13:45	第一堂課	下午茶懷舊肢體美術音樂歌唱等職能活動
14:30	如廁	觀察示範協助
14:45	點心時間	視覺味覺肢體活動 營養
15:00	拼圖、走路活動	認知訓練 肢體活動
16:00	如廁	觀察示範協助
16:30	復康巴士	返家
16:45	如廁 更衣	記憶視覺肢體活動觀察示範協助
16:55	餵魚	寵物療法 現實導向 IADL
17:00	晚間運動	肢體活動
18:00	如廁	觀察示範協助
18:15	晚餐	視覺味覺肢體活動 營養
19:00	如廁盥洗	觀察示範協助
19:30	拼圖、讀書、寫字認知活動	認知訓練
20:15	如廁	觀察示範協助
21:00	如廁就寢	觀察示範協助

失智症患者週末生活作息表

時間	活動內容	非藥物治療意義
7:00	起床 盥洗 如廁	日期時間（現實導向）
7:20	澆花	園藝療法 現實導向 IADL
7:30	晨間運動	肢體活動
8:30	早餐	視覺味覺肢體活動 營養
9:00	盥洗 如廁	觀察示範協助
9:30	拼圖、讀書、寫字認知活動	記憶認知活動
10:30	如廁	觀察示範協助
10:45	丟圈圈、球、沙包、踢球	肢體活動
11:45	如廁	觀察示範協助
12:00	中餐	視覺味覺肢體活動 營養
13:00	如廁刷牙	觀察示範協助
13:15	午休	觀察示範協助
14:30	如廁	觀察示範協助

14:45	外出走路	肢體活動 定向感 現實導向
16:00	如廁	觀察示範 協助
16:15	點心時間	視覺味覺肢體活動 營養
16:45	拼圖	認知訓練 肢體活動
16:55	餵魚	寵物療法 現實導向 IADL
17:45	如廁更衣	觀察示範 協助
18:00	外出晚餐	出門 定向感 現實倒向
18:30	晚餐	視覺味覺肢體活動 營養
19:15	如廁盥洗	觀察示範 協助
19:30	拼圖、讀書、寫字認知活動	認知訓練
20:00	如廁	觀察示範 協助
20:15	逛百貨公司（社區活動）	肢體活動定向感 現實倒向
21:00	返家	肢體活動定向感 現實倒向
21:30	如廁 刷牙	觀察示範 協助
21:45	就寢	觀察示範 協助

重度失智症患者生活作息表（未再前往日間照顧中心）

時間	活動內容	非藥物治療意義
6:00	起床 盥洗 如廁	日期時間（現實導向）
7:00	晨間運動	肢體活動
7:30	早餐	視覺味覺肢體活動 營養
8:00	盥洗 如廁	觀察示範協助
8:30	更衣	記憶視覺肢體活動
8:45	復康巴士（坐輪椅）	前往榮民復健
9:00	抵達榮總	社交觀察示範協助
9:15	物理治療	認知訓練 肢體活動
9:45	如廁	觀察示範協助
10:00	職能治療	肢體認知等職能活動
10:45	如廁	觀察示範協助
11:00	復康巴士	返家
11:15	更衣 如廁	觀察示範協助
11:45	午餐前休息	觀察示範協助

12:00	午餐	視覺味覺肢體活動　營養
13:00	如廁刷牙	觀察示範協助
13:15	午休	觀察示範協助
14:30	如廁	觀察示範協助
14:45	點心時間	視覺味覺肢體活動　營養
15:00	拼圖、寫字、著色、積木	認知訓練 肢體活動
16:00	如廁	觀察示範協助
16:15	丟圈圈、球、沙包、踢球	肢體活動
17:15	如廁	觀察示範協助
17:30	晚間運動	肢體活動
18:00	如廁	觀察示範協助
18:15	晚餐	視覺味覺肢體活動　營養
19:15	如廁盥洗	觀察示範協助
19:30	拼圖、讀書、寫字認知活動	認知訓練
20:30	如廁	觀察示範協助
20:45	七巧板、積木	認知訓練 肢體活動
21:30	如廁	觀察示範協助
21:45	就寢	觀察示範協助

失智症非藥物療法與生活結合

當我知道父親罹患的失智症類型是阿茲海默症，屬於不可逆的慢性疾病，我的心裡就準備好了長期抗戰，將過去學習社會科學的方法與實驗精神拿出來面對它。

「不可逆」是醫學上的說法，白話文就是：沒有藥可治癒。百分之九十至九十五的失智症是屬於不可逆，其實所有慢性疾病都是不逆的。譬如：高血壓、高血脂、糖尿病等，只是失智症會促使長者的認知、記憶、肢體功能退化，會產生精神行為症狀，長者甚至會退化到變成一個完全不認識的人，使得家人及照護者不易照護。

非藥物療法就是在藥物無法治癒的情況下，扮演十分重要的角色與功能，目的是減緩認知、記憶、肢體功能的退化，降低精神行為症狀的產生，抒緩家人及照護者的照護壓力，但非藥物療法是必須與生活結合在一起，才能發揮功效。

非藥物療法的基本理念是：以長者個人為中心，讓他在快樂開心的氣氛中，從事他有興趣與喜歡的活動，重視過程勝於結果，重視心理感受勝於外在行為。

現實導向是非藥物療法中重要的一環。我每週都會用A4紙列印每天的日期，每週七天，每天印五張，上面寫著大大的字：**「今天是中華民國九十三年十一月三日星期三」**，父親臥室床前的牆上、客廳父親喜歡坐的位置對面的牆上、飯廳父親的座位一抬頭便可看到的牆面，都掛有當天的日曆。早上六點，我叫父親起床時，會先拿一張寫著今天日期的白紙，當父親眼睛張開第一件事，先唸紙上的日期，並請父親看一遍，再請他看看牆上的日曆寫的是否是一致。父親開心就跟著唸一遍，但他罵我「神經病」的機會比較多，那不重要，重要的是他會開口講話，也會注意今天的日期。

失智症的人在入睡後，他的時空環境回到時光隧道的何時？何地？何人？我們都無法瞭解與掌握，唯有幫他拉回現在的時空環境，才能避免精神行為症

狀。現實導向活動是建立定向感，避免精神行為症狀產生的非藥物療法活動。早上起床時就應該進行，每天隨時重覆，因為他們即時的記憶受損，記不住是可預期的，能記得的話是反映今天精神狀況佳，認知及記憶功能維持得很好。

接著，我們會進行日常生活基本功能：進食、個人衛生、上廁所、洗澡、穿脫衣服、大小便控制、平地行走、上下樓梯、上下床及椅子等，這一切我們都會讓父親自己動手動腳，而我們會在旁觀察、協助、鼓勵、照護。這些動作，如果嫌他們做不好、動作慢，而去幫他們做，這樣一來，只會加速長者的退化，更失去非藥物療法的意義。

每天，我會規劃練習認知、記憶、肢體功能的活動，譬如：拼圖、唸書寫字、澆花、餵魚、連連看遊戲、打麻將、下象棋、寫書法、畫圖、七巧板、丟圈圈、丟沙包、玩積木、看過去的家庭照片，一起回憶照片中的故事、做家事、做算術、購物、外出活動等。

這些活動包括工具性日常生活功能及日常生活基本功能的練習，也包括認

知、記憶、肢體功能練習的活動，讓他隨時都在從事職能與物理治療內涵的活動，只是隨著退化程度不同，規劃活動的困難度會有所不同。

父親在離開我們的那一天，已經失語了，叫不出我們的名字，但早餐還是可以自己吃，他維持了做一個人的基本尊嚴——「吃」，享年九十二歲。

照護筆記

1 非藥物療法是希望失智症長者能開心快樂的玩，如果他不喜歡，可以立即換其他活動，或拿點心食物等轉移注意力，家人及照護者要事先準備，越多不同的活動越好。

2 生活照護與非藥物療法結合，是要掌握核心價值：開心、快樂。基本理念：重視過程勝於結果，重視心理感受勝於外在行為。

3 每位家人及照護者都可以為長者規劃與執行非藥物療法，醫療專家則是提供協助與諮詢。

失智症知識

1 失智症藥物是希望能減緩認知功能的退化，非藥物療法則是協助藥效發揮、降低精神行為症狀的產生、減緩認知、記憶、肢體功能的退化。

2 非藥物療法盡量建構在日常生活中，讓長者動腦動手動腳，才能減緩退化。

3 人生是由不同階段生活所構成，生活是由許多活動所構成，要活就要動，所以活動是日常生活中最基本的內涵，失智症長者的生活就應以非藥物療法為內涵的活動來建構。

第4章

一定要做的事

如何運用／整合資源

運用社會資源的門檻

民國九十三年，經榮總神經內科劉秀枝主任確診父親為輕度失智症，我隨即上網搜尋資訊，瞭解到如果想照護好父親，想結合家庭與社會資源，我必須為父親取得運用社會資源的資格證明：「身心障礙手冊」。

我陪著父親，帶著一吋半身照片三張、身分證（或戶口名簿）影本、印章等，到區公所社會課領取身心障礙手冊申請表及鑑定表，我填寫父親基本資料後，帶著父親去榮總，再請劉主任根據她鑑別診斷結果填寫鑑定表格。我們也要申請外籍看護，劉主任填寫鑑定表後，她還請另外一位醫師確認及填寫表格，政府規定要有兩位醫師進行鑑定。

當年的政府並未實施長照十年計劃（民國九十六年提出），也未設立長期照顧管理中心，這一切我必須自己來辦理及找社會資源。現在有了長照十年計劃，從民國一〇一年七月，政府開始使用新制。根據新制，失智症為十五種

符合申請資格中的一種，所以只要經醫師確診為失智症，即可立即著手進行申請。

新制規定身心障礙證明可申請分成「一般流程」和「併同辦理流程」兩種。使用「一般流程」時，如果平日看診的醫師所屬醫院為政府認定的鑑定機構，可請長者平常看診的醫師進行鑑定，再配合該醫院的鑑定人員再次鑑定，由鑑定機構（醫院）將鑑定表送社會局評估審核，再核發身心障礙手冊。最後，社會局會依申請人所填選的福利服務項目，評估連結服務。

使用「併同辦理流程」，自己不選擇醫師，根據公告指定醫院的門診時間與診次，前往鑑定。與前者差別在於，前者還要送社會局評估審核，「併同辦理流程」是由醫院的需求評估人員直接辦理，之後，還是送社會局再核發身心障礙手冊，並會依申請人所填選福利服務項目，評估連結服務。

一般從鑑定報告完成到核發身心障礙手冊，最長作業時間為三十五天。現在政府懂得如何主動連結服務，主動進行陪伴者優惠措施、復康巴士服務及行

動不便資格評估與判定，作業時間以十五個工作天為限。

取得這項社會福利資格後，進一步瞭解有那些社會福利資源可運用，並與家庭資源進行整合，建立適合長者的整合照護體系。如以長照十年計劃的社會資源大致分為：照顧服務（喘息服務）、居家護理、社區及居家復健、輔具購買租借及住宅無障礙空間環境改善服務、老人餐飲服務、交通接送服務、照顧機構服務等。

我們照護父親時，用不到最後一項的照顧機構服務，那是指將長

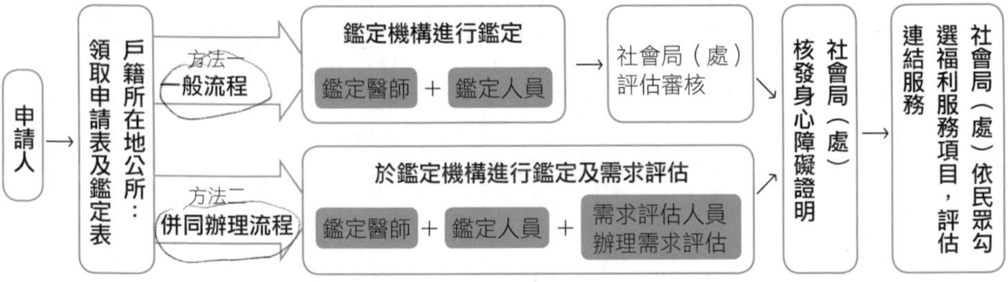

原圖出處：衛生福利部社會及家庭署身心障礙服務入口網

者送到安養護機構接受二十四小時的照護。我們在父親輕中度階段，使用喘息服務中的日間照顧、輔具購買及住宅無障礙空間環境改善服務；當父親中重度階段，還是去日照中心，但已坐輪椅，我們每天利用復康巴士往返日照中心。

當父親重度後，因日照中心不接受重度長者，我們完全是自己居家照護，每天則去醫院進行物理及職能治療，使用復康巴士往返醫院，並申請居家職能治療，一年可有六次部分補助。

千萬別小看復康巴士，在僧多粥少情況下，家屬在網路預約開放前，都已手握滑鼠或智慧型手機準備上網預約，搶車位的速度真的是秒殺。坐輪椅的家庭能有復康巴士接送，交通真是便利多了，所以現在已吸引民間業者投入。

要留意的是，這些服務會有排他性。譬如：我們聘用外籍看護，政府就不提供居家照顧，所以當外籍看護休假、返國空檔階段等，就必須自己想辦法安排照護人力。

上述這些社會資源會由長照管理中心到府評估，是否符合使用資格，及根據

家庭經濟狀況，評估政府補助時間與金額。經濟狀況可分為：一般戶、中低收入戶及低收入戶。

除上述長照十年計劃的社會資源，中央及地方政府對領有身心障礙手冊者及六十五歲以上的長者，會依家庭經濟狀況，給予身心障礙補助。

照護筆記

1. 若要申請社會福利資源，一定要先申請身心障礙手冊。
2. 詳細瞭解政府及民間團體所提供的社會福利資源，再根據長者狀況及家庭資源，先自行評估可運用與整合那些社會福利資源。
3. 住宅無障礙空間環境改善服務是失智症長者必然會使用到的項目，建議及早規劃與執行，先讓長者熟悉改造後的環境。

失智症知識

1 當醫師確診為輕度失智症時，長者就符合申請身心障礙手冊要件，但要定期重新鑑定。

2 當醫師確診為重度失智症後，每隔五年必須重新鑑定身心障礙手冊。

3 隨著失智症病程的變化，長者肢體也會退化，鑑定會影響肢體障礙別，肢體障礙別影響到預約復康巴士的時間，重度肢體障礙者可在五天前預約，中度肢體障礙者是三天前，輕度者是一天前，越早預約的選擇與機會最多。

第5章

家人「愛的工作」如何居家照護失智症家人

培養稱職的外籍看護

我們的外籍看護每天都陪父親到日照中心，她照護父親極為仔細，何時要去上廁所，何時要開始走路運動，吃飯時是不是守規矩（父親會去搶鄰座老太太的食物），午睡時是否安靜入睡，父親鬧情緒時會哄著老人家。連日照中心的資深照服員都不禁說：「從沒看過這麼好的外藉看護。」

我們家的外籍看護曾來台灣工作過，但從沒有照顧過失智症長者，因此我先讓她瞭解什麼是失智症，可能會有哪些精神行為症狀，狀況發生時如何應對。

我也將父親的日常作息告訴她，幾點起床，起床後要做那些運動，刷牙時要站在父親面前示範，讓父親自己刷牙，洗臉也要父親自己動手，讓他自己穿衣服，只要從旁協助，我們一件一件的示範，帶著她做，也讓父親習慣家中多了一個人。

她會重覆犯的錯誤，要她記下來貼在牆上，隨時提醒。第一個月她很辛苦，但我更辛苦，鉅細靡遺的教了二個月，讓她熟悉工作的內容，也逐漸上手，

上手後就可以慢慢放手，但仍要隨時盯著，她有任何問題時立刻伸手幫忙，讓她知道她不是孤立無援的。

當初我們決定找外籍看護時就打定主意，她是來照顧父親的，因此不要她幫忙做家事，三餐都是我太太張羅（太太說，她是台傭），外藉看護頂多是幫忙掃掃地，或是每週以洗衣機洗一次衣服，前提是她做這些工作時，我們一定有人陪在父親身邊。

既然是外籍看護，就應先將看護範圍的工作內容與技巧完整教給她，一方面可先減輕家庭照護負擔與壓力；另一方面可讓失智症長者慢慢將外籍看護視為家人。安排非藥物療法活動時，增加長者與外籍看護的互動，才能降低長者的精神行為症狀，讓外籍看護早日熟悉照護技巧及活動進行。

外籍看護與家庭幫傭是不同的，但台灣（其實有些國家也是如此，譬如新加坡及香港）也將外籍看護當家庭幫傭，一人兼具多項工作內容，一天工作時數往往超過八小時，有的甚至十多個小時，週日雖然給一天加班費，但一週七天，每天工作時數十多個小時，就連機器都會疲乏，更何況是人。

父親有段時間有睡眠障礙，半夜會吵鬧，我們把他扶起來坐在輪椅上，他精神好得很開始玩他的玩具，我們就坐在一旁陪伴，讓外藉看護繼續睡覺，她第二天還要照顧父親，如果睡眠不足，精神不濟，照顧的品質就會受影響。

特別要注意的是，要重視外籍看護心理狀況。有時，心理適應比環境適應及技巧學習還重要，盡量協助其心理適應，包括宗教活動、安排該國人士的互動等，關心與協助是重要方式，照護失智症長者本身壓力就大，再加上心理適應、環境適應、學習技巧、語言學習等，都需要時間及付出。

千萬不要認為聘雇外籍看護，就將失智症長者交給看護，家人就沒事了。外籍看護對失智症照護的認識，必須要家人來教。同時，外籍看護對長者過去的生命史、興趣、偏好、個性等瞭解有限，對失智症病程、非藥物療法等認識也不夠，甚至可以說是完全不懂，建議由一位家人擔任個案經理人的角色，負責規劃失智症長者的非藥物療法活動及內容。

為了讓外籍看護成為得力的幫手，我先成為個案經理人，將父親視為個案對象，規劃出家中失智症老人生活上所需的項目。一般而言，健康醫療、職能

治療、物理治療、肢體運動及生活照顧，對失智症患者是十分重要的項目，將這些內容規劃成規律化的生活作息，先與醫生討論是否適宜，修正後再與外籍看護溝通與說明。

由於外籍看護的教育背景不一，為求工作落實，可由擔任個案經理人的家人帶領著外籍看護實際進行計劃內容，一邊演練，一邊解說，讓外籍看護熟悉計劃內容，及每一項工作的背景原因。同時，也可發現外籍看護不同的文化背景下，可能做出不同的詮釋及方法，此時，就需要修正計劃，這也是整體計劃能否落實的關鍵所在。

選擇外籍看護，如同為長者選擇機構一般，先檢視長者的條件及需求，譬如：每一位失智症長者病程不同，需求就不同，輕度認知障礙或輕度失智症時，陪伴及照護角色較多；一旦往中度或重度發展，照護重點就轉到身體照護；長者肢體功能退化後，更需要移位及翻身等，所以必須先檢視長者目前的條件及未來的可能需求。

接著，思考國家別的差異與家庭的接受程度。印尼以回教為主，菲律賓以天

主教為主，回教涉及飲食習慣，有不吃豬肉等宗教上的習俗，雇主應予以尊重。印尼看護平均英語能力較弱，新進者約一至二年可學會中文，菲律賓大多會英語。無論是哪一國家的看護，都要注意：是否曾至台灣或其他國家工作（新加坡、香港、中東等）、在該國的大都市或鄉村成長、教育程度等條件。印尼許多小島的民眾，生活上比較沒接觸電器用品的機會，更沒使用過台灣日常家庭電器用品，有的還沒搭過電梯，所以先瞭解清楚較妥當。如果長者不會英語，外籍看護剛來也不會說中文，那家庭成員就必須考量如何訓練外籍看護早日熟練中文，能順暢與長者溝通，語言是一項很重要的條件。

適宜及敬業的外籍看護除了可照護好長者，更可減輕家庭照護負擔與壓力，如能將其視為家庭一分子看待，尊重工作權及文化，配合暢通的溝通與互動，這份情誼會維持家庭生活品質，維繫家庭的親情。

照護筆記

1 家屬對失智症及失智症照護都要學習，外籍看護也需去學習，給她們學習的機會與空間，尊重她們，當她們照護技巧與能力成長後，長者照護品質隨之提升，家屬照護壓力也減輕。

2 我們都可能犯錯，外籍看護也可能犯錯，重點是：是否能改過與成長，教導她們後不再犯同樣的錯誤。

3 外籍看護不一定懂非藥物療法的核心價值與理念，如果她們願意去落實與執行，關鍵在於家屬是否作好專案經理人角色。

你待她好
她待阿公好

失智症知識

1. 失智症長者不習慣接受新人及新事物，家屬要協助建立長者與外籍看護的熟悉與關係。
2. 失智症長者與外籍看護之間，可從長期的相處，建立起他們的彼此瞭解的行為語言，家屬從旁可協助與關心。
3. 失智症病程的變化及疾病的症狀，都會影響長者的行為與精神，家屬與外籍看護都需要學習與瞭解。

照護體系的建立

急性症狀的疾病影響患者與家庭都是短期的，經過醫療來解決症狀問題，可恢復健康。但失智症是一種慢性疾病，一旦確診後，將是永遠跟隨著長者，意味著是長期的照護工作，不是一個人長期可挑起的重擔，因此建立照護體系是十分重要的。

我為父親建立的照護體系是先檢視家庭中可運用的資源，包括：人力、知識、照護技巧、財力、可諮詢對象等，之間可轉換以增加照護能量。以我個人的例子來說：家中僅剩下我與太太兩人，我雖已辭去工作，專心照護父親，但太太還在上班。當父親還在輕度階段，照護人力不需要太多，但我一個人也無法全部承擔，因為這是一條漫長的照護道路。

所以我利用財力轉換照護人力。首先聘請一位外籍看護，接著申請父親到一間日間照顧中心。前者可協助我一起照護父親的日常生活，減輕我的照護壓

力，也使我能有時間去學習失智症知識及照護技巧。後者是政府提供的一種喘息服務，對我和外籍看護都可以獲得喘息的機會。日照中心有專業的失智症照顧服務員協助，雖然是一位照服員照護八位長者的小姐照顧，但對外籍看護而言，還是可以減輕她的負擔與壓力。

待父親退化到重度階段，家中的照護人力需要增加時，太太就辦退休，她在照護體系的角色，從原本的部分時間增加為全時照護。因為父親肢體功能已逐漸退化，重度的照護已轉變為身體照護的工作居多，隨時需要兩人同時照護，包括：移位、如廁、更衣、出門等。

當父親退化到重度，日照中心無法持續提供服務，我們則前往醫院安排物理及職能治療，一方面由專業人士協助復健工作以減緩退化；另一方面要讓父親出門接受外界刺激的機會，增加他視覺與認知的刺激，最後對我們也可喘息一下。

如果家庭受限於經濟能力，是否就無法轉換照護資源，得到喘息服務？現在

"活動"乃"藥"

諮詢

政府因無法提供完整的失智症照護網，於是提供預算，由民間團體舉辦各種免費的失智症非藥物療法教室與活動，大部分是一週兩次，每次一個半天的活動。家屬如果懂得找出這些資訊，可規劃長者去不同的團體參加活動，同樣達到每天都有活動及喘息的目的。

照護體系包括知識與照護技巧，充分的失智症知識與照護技巧，可事半功倍，更可對症下「藥」（這裡指的是，非藥物療法活動）。我從民國九十三年開始，參加各種失智症、老人醫學、長期照護等訓練課程、研討會等，總計超過上百場，這些都是我對照護父親的重要學習來源，有適當的知識與技巧，可提升照護品質，亦可減輕照護負擔與壓力。

可諮詢的對象也是照護體系中不可或缺的。失智症長者的照護非常個人化、多變，碰到新的狀況，必須有適當的專家諮詢，包括：醫師、護理師、職能治療師、物理治療師、營養師、藥師、社工師、心理治療師、失智症資深照服員等。家人平常就要建立諮詢對象名單，參加失智症家屬支持團體也是一

種管道。

照護體系中的社會資源有：輔具的申請與補助、居家照顧、居家職能、居家物理、居家護理、居家藥師等服務。如果將長者送到機構照護，也是一種利用財力轉換成照護人力的方式，但這並不表示，家庭沒有任何照護人力的需要，因為失智症長者仍是以家人最瞭解與熟悉，機構照護人力也往往不足，如果能安排家人每天輪流去機構陪伴長者，也可減少長者有被遺棄的感覺，更可增進照護品質，讓長者有更好的晚年。

照護筆記

1 照護體系是因失智症長者需要長期照護，所建立的人力與資源的整合，資源彼此之間可作轉換。因病程階段不同，照護體系所需人力、知識、技能等會有所不同。

2 失智症長者的照護不容易、壓力很大、是具有高度挑戰的工作，以個人力量是不夠的，需要體系的力量協助照護工作。

3 失智症照護體系需要整合家庭及社會資源，才能走更長遠的照護之路。

生活方式與環境的重建

我們搬回父母家照顧父親時就整修父母已住了三十多年的老屋，父母生性節儉，住家從未大修過，很多水管不通，衛浴設備老舊，廚房不堪使用，房間的壁紙也都剝落了。我知道父親的狀況只會越來越嚴重，當失智症到了重度，肢體的控制也會出問題，一定要未雨綢繆先做安排，也能讓他及早熟悉環境。這樣的整修是大工程，不是三兩天就可以完工，而且施工中塵土飛揚，一定要搬出去住。失智的父親有被害幻想，每天門窗緊閉，家中還放了一大堆棍棒，家是庇護他安全的城堡，平日就不願出門，要他離家住幾天更是不可能。

我們討論後請太太的同事幫忙，只做最必要的整修，務必在最短的時間完成，最重要的是無障礙空間，方便日後父親活動，及維持家的原貌。失智症長者不宜變動居住環境，在陌生環境中，容易產生精神行為症狀，他會隨時要求「要回家，這裡不是我家」。

根據統計，浴室是長者最容易滑倒的地方。首先我們將地磚換成防滑地磚，打掉浴缸，換成淋浴，並在牆上加裝扶手，馬桶旁也裝了扶手，讓父親如廁起身時有施力點，打掉浴室的門檻方便未來輪椅進出。

我請職能治療師到家中進行環境評估，查看哪些父親的動線牆面需要裝扶手；父親臥室的動線也仔細察看，怕他晚上起牀上廁所時可能會迷迷糊糊的摔倒，同時也裝了一個小燈，讓室內不致於一片漆黑。

失智症長者待在熟悉的環境才有安全感，能減少精神行為症狀，因此所有的整修都儘量維持原狀，壁紙找與原來相似的，廚具也儘量找一樣的，說來簡單，真的要找三十年前的老東西，還花了不少精神。

一切都準備好了才開始動工，一個星期內一定要完工，至於已經會一塊塊翻起來的地板，工程浩大就算了。這段期間，我將父親安排住在他軍校老同學的家，是認識六、七十年的老朋友。過去也時常到他家中走動，不是全然陌生的環境，加上我的陪伴，父親雖然不習慣嚷著要回家，但也沒有發生太多的精神行為症狀。裝潢工程完成，我們回家後，父親並沒有感覺家裡有什麼

變動，我也把客廳的桌椅搬開，留給父親可以運動的空間，我們也開始了新的生活。

從混亂到規律生活

過去父親日夜顛倒，晚上不睡覺四處查房，白天累了就打瞌睡，惡性循環之下全家人都不得安眠。每天早上陪著父親做些簡易的運動，讓他曬一下太陽，刺激腦內褪黑激素，同時，安排他到日照中心參加活動，並叮嚀陪他同去的外藉看護，不要讓他打瞌睡，晚餐後則陪他外出散步，回家後再讓他做做算術或寫書法、畫圖等。如此一天下來父親也累了，就能一覺到天明，逐漸養成規律的生活習慣，情緒也穩定了。

改變飲食

父母出身戰亂，在那物資貧乏的時代，養成他們重口味的飲食習慣，而且要吃大量的飯才算吃飯。我開始照護父親時他極胖，腎臟不好，又有三高的隱憂，因此我決定要改變父親的飲食習慣。第一步先聽取營養師的建議，讓父親的飲食清淡，少油少鹽，增加纖維質，同時減少澱粉的攝取。

早餐父親吃的是自己做的豆漿麥片粥，加上各種堅果磨成的粉、葡萄乾、蔓

越莓，有時換成紅豆、紫米煮成的紅豆紫米粥。中午吃日照中心供應的兩葷兩素的四菜一湯，加上我們自家中帶去的多一份紅肉及水果。晚上在家也是兩葷兩素及兩三種水果，把握少油少鹽的原則，菜色盡量豐盛，但是沒有飯。

開始時父親極不習慣，抱怨菜沒味道，更罵外籍看護笨，每天都忘了煮飯。當時太太還在新聞界工作，晚上都不在家，我就對父親說：「你看，只有我們父子在家吃飯，你媳婦為了讓你吃得好，每天加班到三更半夜，你還要吃飯，她要加班加到天亮才回得來。」父親聽了於心不忍，就不再堅持要吃飯。同樣的戲碼每天上演，一、兩個星期後父親不知是習慣了晚餐沒有飯，還是根本忘了要吃飯這件事，從此不再抱怨。倒是有時我們陪他外出用餐，他會嫌外面的菜太鹹。

一年下來，父親的身體變得結實了，精神與氣色都比過去好，最重要的是全身健康檢查後，他身體的各項指數都回到正常的範圍。

照護筆記

1 環境改造是照護失智症長者的重要事項，越早進行越好，環境有療癒及照護支持的功能。

2 無障礙空間規劃是照護失智症長者不可或缺的環境要件。

3 肢體功能退化是失智症長者勢必面對的情況，及早設置扶手，除了可以讓長者熟悉，更可以讓長者練習自己扶著走，避免直接坐輪椅，也減輕照護者的壓力及身體傷害。

失智症知識

1. 千萬別變動居住環境，熟悉的居住環境可增加失智症長者的安全感，長者的情緒穩定了，家人的生活照護比較容易，陌生居住環境容易讓患者產生精神行為的症狀。

2. 無障礙空間的規劃可請職能治療師到府評估，向長期照顧管理中心申請，政府長照十年計畫可提供補助。

3. 避免跌倒是老人照護上注意要點，對失智症照護更是一大挑戰，透過環境改造，及加強肢體活動，以增加肌耐力與平衡感等，都可降低跌倒的風險。

誰是導演？誰是演員？

失智症也是慢性疾病的一種，但是為什麼不像其他的慢性疾病一樣好照顧？關鍵在於百分之九十的失智症長者有精神行為症狀，包括：被遺棄妄想、被偷妄想、被害妄想、妒嫉妄想、視幻覺、聽幻覺、錯認、憂鬱、焦慮、睡眠障礙、重覆行為、遊走、病態收集、不當性需求、進食障礙等。這些症狀會讓家人無法正常生活，照護者壓力越來越高，如果不懂得如何照護，會成為家庭悲劇的來源。

我告訴母親，醫師已診斷父親已有疑似失智症的症狀，但還在輕度認知障礙階段，如果按時服藥，多動腦、多活動，可以延緩退化。母親不認識什麼是失智症，她認為父親本來就疑神疑鬼、脾氣暴躁，並不以為意，也不督促父親按時服藥，退化狀況就無法阻擋。

當我返家接手照護父親時，父親已多日未洗澡，身上的衣服也多日未換，臉上長滿雜亂的鬍子，收集了一堆棍棒，重覆買白砂糖，動不動罵人打人，對

人沒有信任感，擔心有人對他不利，這些行為都是被害妄想等精神行為的症狀。

後來我上網找到美國阿茲海默症協會提供的照護方法，及有關非藥物療法的做法，經過閱讀、吸收、消化、與過去所學的社會科學知識結合，我瞭解失智症長者的精神行為症狀是失智症導致。因認知、記憶功能逐漸喪失，欠缺現實導向，腦部的時光隧道回到過去，他們自己根據所認知與記憶的訊息，開始編他們的劇本，演他們的戲，他們與我們不是處在同一個時空環境中看問題或談話，所以我們會失去「溝通的共識」。

如果順從父親，由他自己（失去安排生活與活動的能力）安排生活，他會選擇回到他的時光隧道，開始編他的劇本，演他的戲，他的精神行為症狀會不斷發生，我們也不得安寧。

我開始回想父親過去喜愛的活動，包括：書法、盆栽、工藝、象棋、烹飪等，先將他現在生活作息寫下來，再將他過去喜愛的活動，一項一項的慢慢放進現在的生活中，當然他會抗拒排斥，但那是他原本熟悉的活動，只是配合我

的新劇本與台詞。

我的台詞是，「老爸，你記不記得我小時候，公公教我寫書法？從如何拿毛筆開始，到練習永字八法？」他沒來得及回話，可能進入時光隧道去找那段記憶，我趕緊接著說，「你現在也教我好不好？我好久沒寫書法了，你以前不是寫得很棒？」一頂高帽子給他戴上，他已經飄飄然很有成就感，我立即將毛筆放在他手上，請他開始「教」我寫書法。

他開始非常平靜的寫書法，進入到我為他寫的劇本中，專注的拿毛筆，及「教」我寫書法。他與我之間開始依我規劃的劇本與台詞「演」這場失智症非藥物療法的戲。此刻，他已不再出現精神行為症狀，心情穩定，神情專注，回到過去父親的樣子。

但我心中明白：他永遠回不去以前的他，只是因為我為他寫的劇本，讓他去演一位父親的好角色，如果沒有這劇本，他可能精神行為症狀又會產生。我一定要長期為他寫劇本，為他規劃生活內容，我心中也瞭解，當他退化到重度以後，精神行為症狀自然會減少或不再出現，我還是可以為他寫劇本，那時的目的就是減緩退化。

照護筆記

1 由失智症長者來編劇、演戲，不如我們為他編一齣能讓他發揮所長的戲，轉移他的焦點，由非藥物療法活動，讓他動腦、動手、動腳。

2 失智症長者的戲一定要符合他原有的專長、興趣、喜好等，他才會有意願一起「演」，我們還可以幫助他找回自我、成就感、快樂，家庭才能有平靜的生活。

3 失智症長者因為記憶功能受損，忘記他還會這些技能與活動，唯有家人才能幫他找回過去共同的記憶與生活。

失智症知識

1. 非藥物療法並非十分高深的學問，家人及照護者瞭解與學習到非藥物療法精神，進一步找出長者的興趣與還存有的能力，或激發出他已遺忘的能力，來規劃每天日常生活作息，有助於長者降低精神行為症狀，減緩退化。

2. 隨著失智症長者的認知、記憶、肢體功能的情況，必須調整「劇本內容」（非藥物療法的活動）。

3. 當長者情緒受生理、心理、藥物、環境等影響，不願依劇本來演戲時，家人及照護者需有應變能力，馬上換劇本、變台詞，目的是讓長者情緒穩定、開心快樂，而不是為活動而活動。

不同的病程安排不同的生活

我每天晚上陪八十三歲的老爸走五公里；老爸八十四歲時，我陪他到福建省返鄉掃墓探親，從福州開車到閩西的寧化縣要八個小時；另外，我陪他到四川成都，參加他軍校畢業六十週年紀念活動、還陪他遊長江三峽、九寨溝等中國美景……這一切都是我在他輕度失智症階段為他規劃的活動。

父親的失智症類型是阿茲海默症，屬於退化型失智症中的一種，是無法根治的類型之一，約有百分之六十的失智症患者屬於這種類型。腦部最先受影響的區域是掌管記憶與定向感的海馬迴（Hippocampus），使得新的記憶無法進入記憶區，方向知覺逐漸喪失，相對的認知與肢體功能的退化速度則較之後。

既然記憶力退化是阿茲海默症最明顯的特徵，我們在父親輕度階段的照護重點是，加強長期記憶活動、訓練即時與短期記憶活動、培養肢體功能的活動、強化認知訓練活動。

這些記憶與認知功能的活動，需要有良好的體能，所以我們先為父親規劃肢體訓練活動，每天做體操，讓關節與肌肉活動開來，晚上固定散步五公里。接著規劃懷舊療法活動，以長期記憶優先，搭配即時與短期的記憶活動。

雖然當時台灣早已開放大陸探親，但父親從未返鄉。母親還在世的時候，那時父親還是輕度認知障礙，我就帶著太太去父親的故鄉為祖母掃墓，先瞭解整個行程、路況、住宿等情形，為父親未來的前往先做準備。

我們到寧化，是父親出生及唸小學的地方；到福州，是父親唸初高中的地方；到四川成都，是父親唸軍校的地方。每一個地方都充滿著父親不同階段的回憶，那是屬於長期記憶的部分，在父親的腦海中都還留有印象或記憶，為穩固父親的長期記憶，增加自信心。

我經常陪父親玩撲克牌，是即時、短期記憶與認知活動的訓練。譬如，我拿出四張牌，同一數字但不同花色，讓他先看一遍，然後蓋起來，請他挑出某一花色的牌；又或者，我挑出一到十數字的十張牌，請父親挑出任兩張，讓

他試著加起來為七，或減起來為三。

我在父親輕度階段所規劃的活動，有戶外的，也有室內的，這階段的患者肢體功能非常好，以維持肢體、加強記憶、訓練認知為主。父親以前的朋友或親戚遇到他，如果談起過去的事情，沒有人會察覺到父親已罹患失智症；但如果講話的內容沒有過去的主題，當父親一開口講話，就很容易說出重覆的句子，那就是即時記憶出狀況。

父親在中度階段生活規劃與輕度差異不大，我們還是安排父親農曆春節過年回到福建家鄉，與親友一起度過有他兒時味道的年。我請他兩位妹妹分別每天陪他聊兒時的事情，盡量避談不愉快的事，我在旁紀錄與拍照，這些都是我所不知道有關父親的童年與過去，更是我在父親返回台北，懷舊療法極佳的素材。

重度階段，父親走路會失去平衡，左側肢體力量不如右側，我們安排他進行身體檢查之後，發現有小中風的現象。於是，我們給父親拐杖來協助他走路

及平衡，隨時有人在旁注意他的行走安全。父親這個階段強調認知與記憶功能活動為主，肢體活動則降至維持現狀，不再去長距離散步，改以短距離及體操活動為主，避免跌倒是這階段的重點。

我們在生活上的安排以室內為主，每天還是會出門，讓父親增加更多的刺激與聽他人講話的機會。前一階段，還可去日照中心參與活動，後一階段則改去醫院進行職能與物理治療。這個階段父親逐漸失去主動參與的意願，所有的過程，我們都陪在一旁與他一起參加活動。比如，玩丟球，我們拉著他的手，去抓球與丟球，先引起他的興趣之後，他會自己丟球；接著，我們抬起他的腳來踢球，引發他興趣後，他會去踢球。

這麼做的目的是避免父親失去與他人互動的興趣與能力，漸漸變成了呆滯的狀況或總是在睡覺。

照護筆記

1 生活安排的內容要配合失智症長者的失智症類型與病程。

2 生活安排的重點則看失智症長者所罹患失智症的類型，以認知、記憶、肢體等三方面，排出活動的先後順序與重點，但都必須符合長者的興趣、能力與生命史為主。

3 失智症長者在輕度階段，還可嘗試學習新事務，甚至激發潛能，但學習能力會不如以前；中度階段以參與與互動為重點；重度階段時，我們須利用多重感官來刺激與溝通，以此原則來安排生活。

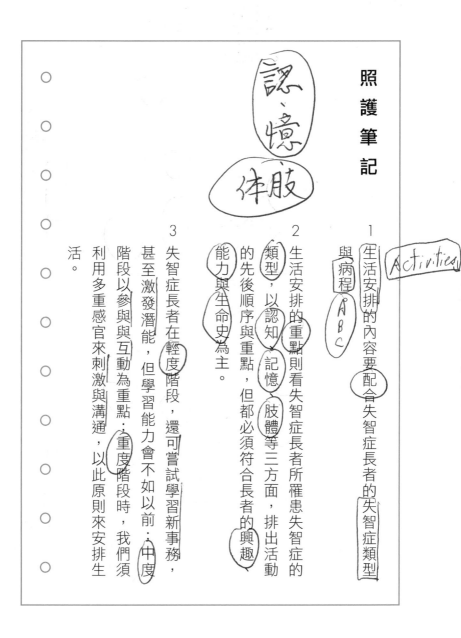

失智症病程

初期（一～三年）：早期症狀經常被人疏忽、延誤就診。

- 記憶：對近期所發生的事健忘，不能學習新的事物，忘記人物的名稱，語言表達出現困難。
- 定向力：弄不清楚現在是幾年幾月幾日，較不常去的地方容易迷路。
- 判斷及解決問題：對事情難以下決定。
- 社區事務：不愛出門。
- 家居及嗜好：對於日常生活嗜好及活動缺乏興趣。
- 個人照料：可能需要提醒。
- 性格或脾氣改變（如變得孤僻、暴躁、愛發脾氣、多疑、妄想等症狀）。

B
Yr. 240

中期（二～十年）：在日常生活事物的處理上變得更為困難。

- 記憶：記憶力（遙遠和近期的）減退，日趨嚴重。
- 定向力：不認得不熟的親友，時空錯亂（分不清早晨與黃昏）。
- 判斷及解決問題：髒衣服當乾淨衣服拿出去晾或穿在身上，夏天穿冬衣，上衣當褲子，社會價值的判斷力受到影響。
- 社區事務：無法自己出門搭車和購物等。
- 家居及嗜好：只有簡單的家事可以做，整天待在房間。
- 個人照料：進行多種活動都需要留意（如開始失禁）。
- 激動的行為（如胡思亂想，突然發怒），或會出現幻覺或其他精神困擾，慢慢失去閱讀及語言能力。

後期（八～十二年）：記憶喪失嚴重，其他身體症狀也會越來越明顯。

- 定向力：不認得或偶爾認得親友。
- 判斷及解決問題：無法判斷或解決問題，在公共場所出現不適當的行為。
- 社區事務：無法獨立勝任家庭外的事務，外表看起來有病態。
- 家居及嗜好：常有無目的的動作。
- 個人照料：大小便失禁，吃飯只會用手指頭，需人餵食，可能會有吞嚥困難而需使用鼻管餵食。
- 說話無法理解或不相關，反應遲鈍、不作回應。
- 臥床、無法坐立、站立、肢體攣縮。

失智症平均餘年約八到十二年，如果患者得到完善的照顧，有些失智症長者壽命甚至可以延長到十至十五年左右。個別差異性很大，有的人進展的快，有的人進展慢。

失智症整合照護——以家庭為核心

當老爸有輕度認知障礙時，開始出現精神行為症狀，他記憶功能已有受損，會忘東忘西，再加上他又有被害妄想，就算把銀行帳戶的錢全轉入母親帳戶也不放心，於是又將母親存摺與印鑑收起來，結果最後找不到母親的存摺與印鑑，因為他不記得放哪裡，每次找不到，母親只好到銀行掛失重新申請。後來，我們發現東西都藏在父親褲子的暗袋內，父親自己都忘記了，而那件褲子是他每天都穿在身上的，當然誰也找不到。

我的大學老師也罹患失智症，他每天喜歡外出走路，但記憶及認知功能受損的影響下，會找不到回家的路。他的兒子，也是我高中同學，安排家人或外籍看護跟著他，但他不接受，最後只好退而求其次，買了有衛星定位功能的手錶給他。

他在民國一〇二年十一月那時走失（這不是第一次），還好，三天後經搜救

隊在台北四獸山上找到；民國一〇三年六月再次走失，這次他沒戴衛星定位手錶，三天後被人發現漂浮在華江橋下的河邊，師母及家人痛不欲生，但已無法挽回。

對失智症長者的照護，不是只有照顧加上醫療護理，而是指照顧加上生活保護。他們的認知、記憶功能受損，又有精神行為症狀，逐漸失去判斷有沒有危險、及保護自己的能力。譬如：對於爐火、瓦斯、火燭、水、電器用品，紅綠燈等交通號誌等，失去判斷與正確使用的能力，家人或照護者必須在生活上加以注意保護，否則一不小心，長者及家庭的生命財產安全都會受到影響。

此外，家人最瞭解長者成長背景、個性、興趣、喜好、能力，家人對長者的支持與關懷，是失智症長者情緒穩定、安全感的最大來源。如果進一步為長者規劃符合他的規律化生活作息活動，也是家人最清楚可規劃哪些內容，長者比較容易接受及有參與意願。

即使家人無力照護，必須送機構，機構的照護人力也是不可能一對一，家人最好每天或經常探視，只是借助機構「應該有的」專業的照護能力與知識，來彌補家庭的不足，但對長者的關懷與支持，家人還是要責無旁貸的付出。更重要的是，照護失智症長者需要跨領域的知識與技能，從失智症臨床醫學、藥物、職能治療、物理治療、營養、護理、語言治療、社會資源、輔具等知識，所以需要「整合照護」，為長者整合上述專業人員的意見，規劃出適合長者個人化的照護計劃。

問題就在於，誰能幫長者規劃出真正適合、個人化的照護計劃呢？今天政府推動「友善醫療環境」，醫療機構也強調「以病患為中心」的醫療服務，但失智症照護是生活照護重於醫療照護。大部分的失智症長者沒有急性症狀，需要的照護是以日常生活方面為主，是以非藥物療法活動為主，即使有多重共病的患者（多種慢性疾病），也是一樣。都應該以長者的個人生命史、教育程度、興趣、喜好、能力等進行規劃。

試問：目前有任何醫療機構能提供如此精緻化、個別化，生活化的活動作息

計劃或生活照護計劃嗎？

失智症長者照護計劃由家庭來執行，家人在規劃時，必須考量家庭的資源與能力，無法以制式化照護計劃套用在所有家庭，因為每個家庭的經濟條件、生活狀況不同，可行的照護計劃要以家庭為中心，由家庭的力量去照護；要以長者為核心，才能符合長者的需求。

如果醫療機構無法提供，社會上也沒有民間團體可提供，失智症長者又需要照護計劃，家庭是否應責無旁貸扛起這份「愛的工作」？

醫療專業人士可成為家庭在規劃照護計劃的重要諮詢對象，長者在日常生活照護是由家庭來協助與支持，失智症整合照護自然必須以家庭為中心，如果自身家庭不去做，那就沒有其他人或任何團體可以幫我們。

照護筆記

1. 生活安排的內容是配合失智症長者原有的生活作息進行逐步微調，目標是建立以非藥物療法為內涵的生活作息活動，以降低長者精神行為症狀，減緩失智症退化。
2. 生活安排的內容必須符合長者的興趣、能力與生命史為主。
3. 沒有人會比家人更瞭解失智症長者，家人以長者個人生命史、教育程度、興趣、喜好、能力等內容進行規劃，家人能為長者規劃出符合他的生活照護計劃，那是家庭愛的傳遞。政府與社會只能從旁提供支持力量，整體的失智症照護網才能建立完善。

第6章

讓家人最頭痛的失智症精神行為症狀

妄想：被偷妄想（Delusional of being thief）

有一位九十六歲的輕度失智症長輩喜歡收集口紅，她年輕的時候，口紅是舶來品，非常稀有。愛漂亮的她，特別喜愛收藏口紅，當她找不到她想要的那隻口紅時，她就告訴家人，外傭偷拿她的口紅。

剛開始家人還真以為外傭手腳不乾淨，後來，家人從她的衣櫃抽屜、書桌、書櫃等處找出許多口紅，真相大白之後，就將這些口紅收好，當她再說口紅不見時，家人就配合她所形容的口紅顏色、品牌等特徵，從庫存中找出一隻符合的，趁她不注意時，放到她梳妝台上，然後，家人在陪她找的過程中，「不經意」的一起找到。家人也不會去責怪她，但她自己會說，「人老了，就是那麼糊塗」，她兒子立即接著說，「媽，不是只有妳會這樣，我也會，

我經常找不到眼鏡放哪，找到就好，我們去吃點心」。

這就是被偷妄想，是失智症精神行為症狀妄想中的一種，我老爸也不遑多讓。早期，父親以母親的名義在銀行租用保險箱，每次去開保險箱都是夫妻一起去，銀行人員都認識他們。後來，父親深怕保險箱內的物品被人偷走，他執意去開箱查看，他去開箱時，像我這樣的「閒雜人等」都不能待在旁邊。他甚至認為放在保險箱，不保險，他寧可自己保管。

鄭媽媽患有輕度失智症，她則是在家中到處找她的銀行存摺，這已經是半年來每幾天就上演一次的戲碼，弄得全家雞犬不寧，明明是鄭媽媽東藏西放，自己忘了放在哪裡，到頭來還要怪是有人偷走。

後來他們找到妙方。

有次鄭媽媽重新申辦存摺，其中一位家人立即拿去彩色影印十份，另外一位家人則陪著鄭媽媽等重新申辦的「存摺」，他們事前還先去買厚一點的紙做存摺封面，當然要做得跟真的很像，老媽只是失智，可沒有失去智慧。

行員將重新申辦的「存摺」送交鄭媽媽的手中，就看到她緊張的查核存摺的金額是否還是原來的數字，管帳一輩子的她，雖然已經失智，但是存摺的數字卻一直牢牢記住，看到數字沒錯後，滿臉的笑容立即取代原先的緊張與愁容，當她高興的將重新申辦的「存摺」放進皮包時，這時家人才鬆一口氣，趕緊將真的存摺帶回家收好。

每當媽媽找不到存摺，他們先安撫她，告訴她別擔心，會幫她找出來。這時，用她喜歡的點心及遊戲來轉移注意力，讓她先放鬆心情。家人陪她吃點心、玩遊戲，之後再拿出原先影印好的「存摺」，放到媽媽的皮包裡，等一會兒她想起來堅持要找存摺時，就可以陪她一起找，「意外」找到皮包，請她看看存摺有沒有在皮包裡。

如果鄭媽媽真的要去銀行辦理存提款，家人就要一起合作玩「貍貓換太子」的遊戲，免得拿影印的存摺到銀行櫃檯出包了，那就麻煩大了。

經過這計妙方之後，鄭媽媽找存摺的把戲，終於有了因應對策，家人不再頭痛，甚至為這件事發生爭吵。原來面對失智症長者的精神行為症狀，是有解

決的方法，並非無解。

每位失智症的長者因為成長背景的不同，對所關心或最在意的物品會有所差異。上一代大都歷經戰亂所帶來的困苦生活，很多長者更是白手起家，凡事都會特別小心謹慎，存有被偷妄想，而且大多與金錢相關。

老爸經過我們安排規律化的生活，半年後再也沒有出現被偷妄想，因為他感覺到安全感，我們也將他的注意力轉移到他有興趣的非藥物療法活動。

照護筆記

1 當失智症長者出現被偷妄想時，先安撫他的情緒，允諾會幫他找回來，立即轉移他的注意力到他有興趣的事物或活動。

2 當失智症長者表示，他的東西被偷了，不要責怪他，也不需附和，僅以同理心表示關懷。

3 短期與即時記憶功能逐漸喪失是失智症長者的症狀，此刻，家人或照護者可轉移話題，利用記憶功能的喪失來淡化行為與情緒問題。

失智症知識

1 妄想混合短期記憶的消失，失智症患的妄想包括：被偷妄想、被害妄想、嫉妒妄想、被遺棄的妄想等。

2 被偷妄想的發生率約有百分之五十五點六。

3 失智症長者老是覺得家中有小偷偷他東西，或懷疑主要照顧的人偷他的印鑑、錢財、存摺等，事實上，是長者亂放、亂藏找不到的結果，值得注意的是，如果未能有效轉移注意力，會衍生出其他精神行為症狀，有時長者會出現情緒激動不安，夜晚會重覆翻箱倒櫃找東西的重覆行為等。

妄想：被遺棄妄想（Delusional of being abandon）

「我兒子不孝！要送我去養老院！」

母親剛過世時，我們搬回父母家照護父親，決定安排他到社區的日間照顧中心，第一天早上要送他出門時的景象，至今這段記憶還非常清楚的在我腦海中浮現。我還記得，父親當時坐在大門口大聲呼喊著，左右鄰居都探頭出來看，到底發生了什麼事。

剛開始照顧父親的半個月，幾乎每天早上出門都會發生類似的情景，只是父親從坐在地上，變成站在大門口拉扯。還好，日照中心的護理師已司空見慣，幫我與父親一起演第二天要「上學」的戲，包括：前一天放學時，請父親寫

字條，說他第二天要上學。第二天出門時，除了請父親看自己寫的字條，我還打電話到日照中心，請護理師與父親回憶前一天的對話。只差沒上演，我們小時候不願上學，父母會嚇我們，「小孩子不上學，警察會來抓」的劇情。

剛去日照中心的第一個月，我每天在那裡陪他「上課」，他的視線從未從我身上離開過，就怕我真的遺棄他。像不像我們小時候剛上學，父母站在教室外，看我們坐在教室乖不乖，我們的視線也是緊盯著教室外的父母，深怕父母不要我們了。

直到，父親習慣每天去日照中心的生活，在那裡也結識了新朋友，照服員主動與父親建立良好關係，那裡有吃、有玩、有朋友。他知道每天都會回家（他所堅守著那座城堡），確認兒子送他到那裡，並不會遺棄他。他的視線逐漸轉移到照服員、新朋友、活動中，我才可以從整天陪伴縮短為半天。

但這種被遺棄妄想，對我們照護父親也有正面功能。

我們週末陪父親出門用餐或去郊區遊玩，我們發現，不必擔心父親會四處遊

走或迷路。因為他還是怕家人會遺棄他，總是緊緊地跟著我，即使有太太陪著他，我去付帳或處理其他的事，他的視線還是緊盯著我，讓太太都有些吃味，打趣地說，「你們父子感情真好，真是父子情深啊！」

另外，每天晚上陪父親散步運動，他剛開始也是不願意走，我發現可利用他被遺棄妄想這件事，運用在運動公園的跑道上。我在前面慢跑，他在後頭追，當然為了安全，菲傭一直跟在他身邊，他不停的喊著，「佳奇，不要跑那麼快！」

當長者出現被遺棄妄想，唯有增加他的安全感，有時，不妨以肢體語言關懷他們，我們小時候，不也是如此？

照護筆記

1 失智症長者會出現被遺棄妄想，有環境與心理因素，勿需責怪，或在面前與人討論這件事。

2 如何增加對長者的安全感、信任感才是重點。

3 言語配合肢體語言的交互運用，告訴他，「他是我們的寶貝，我們怎麼可能失去他！」並以雙手擁抱他，或拍他肩膀。

失智症知識

2-9%

1 被遺棄妄想是認為家人會丟下他不管，或認為家人要將他送養老院。

2 被遺棄妄想約有百分之二至九的發生率。

3 被偷妄想、被害妄想、妒嫉妄想等妄想症狀，被遺棄妄想發生率最低，這與長者生命史、心理、環境等有關。

妄想：妒嫉妄想（Delusional Jealousy）

民國九十一年，我正在辦公室忙，爸爸打電話給我說：「佳奇，你媽媽跑出去了，是不是她在外面有男朋友？」

我當時聽到後，真是丈二金鋼摸不著頭緒，心想，媽媽已經七十多歲的人，怎麼會做出這種事？再仔細想一想，自從帶父親去醫院神經內科就診後，醫師曾鑑別診斷為輕度認知障礙，這是否就是病的症狀？

我在電話中安慰父親，媽媽一定是去打麻將了，怕你打電話去人家那裡騷擾，所以才不告訴你她去哪裡打麻將。我請父親放心，晚飯前媽媽一定會回家，幫你準備晚飯，這是她這五十年來的必備功課，不會忘了的。

我還告訴父親，隨後我就回家陪他，請他先看電視。

下午四點多，我去廣東燒臘店，買父親最喜歡下酒的燒鴨及其他臘味，趕緊開車回家。五點多，母親也隨後回到家，她免不了又挨罵，她進廚房，一邊掉眼淚，一邊抱怨父親早上一起床就發脾氣，還作勢要打人，她當然跑出去，免得兩人在家吵吵鬧鬧。

我一聽就知道，這是惡性循環。父親有精神行為症狀，母親只當作那是父親的個性表現，採取眼不見為淨策略，到朋友家打麻將躲開父親，但也讓父親產生了妒嫉妄想、猜疑等症狀。

我的好朋友誠國安排了一位外籍看護，在家中照護罹患失智症的母親。有天晚上，他下班回家，母親告訴他，父親跟外籍看護私通，讓誠國嚇得差一點從沙發上跌坐到地上。

誠國的父親是大學教授退休，已經八十六歲，一直是知書達禮、溫文儒雅的人，怎麼可能會發生母親所說的事情？他又不敢直接去問父親，最後在家中裝置攝影機，可以遠距離掌握家中狀況。經過一週的觀察，一切正常，只是外籍看護都讓母親坐在客廳打瞌睡，沒有按照生活作息，讓母親進行活動，

父親則都在書房看書及寫文章。

誠國跑來問我，我說，我家也曾發生類型的事，那是失智症長者的精神行為症狀的一種：妒嫉妄想，也是妄想中的一種類型，失智症長者會將沒有發生的事，說得跟真的一樣，自己還堅信不移。

情人眼裡容不下一粒沙，何況是「小三」或「小王」。看見情人和異性相談甚歡會產生嫉妒心，但這樣的嫉妒若出自不合乎現實的想像，在失智症臨床醫學上稱為「嫉妒妄想」或「不忠妄想」，也有學者把這樣的症狀稱為「奧塞羅症候群」。

妒嫉妄想是讓辛苦照護另一半的配偶，啞巴吃黃連，有苦說不出。懷疑配偶不忠，有外遇，進而出現暴力攻擊行為。因此，家人應對失智症精神行為症狀有所認識，進一步判斷真相與否，並以轉移焦點方式及非藥物療法的生活作息活動，來幫助長者降低精神行為症狀的再次產生。

照護筆記

1 當失智症長者說出的事，異於常理，不要直接否定，先安撫長者的情緒及轉移話題，進行長者有興趣的活動，再進一步瞭解事實真相。

2 配偶照護配偶最為辛苦，如果被誤解，挫折感會更大，失落感也會增強，子女要安撫父母，切勿火上加油。

3 老人福祉科技發展速迅，可透過科技設備，增進照護品質，減少照護壓力，室內攝影機一具從一萬五千到三萬新台幣不等，可透過下載 APP 軟體，從行動裝置，包括：智慧型手機、電腦等，瞭解家中長者的生活作息。

失智症知識

「奧塞羅症候群」（Othello's syndrome）的典故：

奧塞羅出自莎士比亞戲劇「奧塞羅的悲劇」（Othello's Tragedy），劇中奧賽羅是傑出的黑人將軍，但受到下屬設計陷害，懷疑太太不忠，最後居然把太太掐死。當他發現被下屬欺騙後，也拔劍自刎結束了生命。因此，嫉妒妄想是一種很危險的症狀，當怒火中燒時，對病人自身和伴侶都有危險性。

失智症知識

15%

1 嫉妒妄想的發生率雖僅占百分之十五點八，但失智症長者可能出現暴力攻擊行為。

2 研究發現罹患嫉妒妄想者，發病年齡平均六十八歲，六成是男性，有些患者腦影像學顯示大腦右側額葉（Right frontal lobe）病變。

3 腦傷也可能產生類似表現，譬如：曾有位長者在車禍受傷腦部開刀後，也出現妄想太太有「小三」的狀況。如果長者除出現這樣的症狀，可能還有其他包括認知及記憶功能有明顯下降的現象時，可請神經內科或精神科醫師來確診是否有失智症。

妄想：

被害妄想（Persecutory delusion）

我按照規劃已進行一年多照護父親的生活作息，與菲傭陪伴父親去散步，從家走到運動公園路途中，經過人多的百貨公司，父親突然坐在地上大喊：「救命啊！」

我當場傻在原地，真不知道父親又怎麼了。接著有「正義哥」前來對父親拔刀相助，問父親發生什麼事？

此刻，父親卻又不吭聲，我只好解釋，他是我父親，我們要去運動公園散步，他可能不願意去，就坐在地上。

這位「正義哥」就說，那你拿出證明你是這位老先生的兒子？

我說，我們只是出門運動，身上沒帶證件。但這位「正義哥」不相信，立即用手機報警。隨後警察現身後，馬上將我們三人帶上警車，到警察局做筆錄。

一到了警察局，我表示，希望先與主管見面說明。我告訴主管，這位老先生是我父親，他有失智症，並解釋失智症長者會有精神行為症狀，被害妄想是妄想其中的一種類型，失智症長者會懷疑別人要毒害或迫害他。

我進一步表示，我們每天晚飯後一小時會到運動公園散步已一年多，許多住在那邊的人都認識我們。我因為要去做運動，身上僅帶手機及鑰匙，沒帶證件，我要回家拿證件來證明，但警察表示，我如果離開，將以現行犯逮捕我。

這位主管聽了我的說明後，向承辦警察表示，他們是父子，老先生罹患失智症需要照護，如果你要辦這個案子，那他父親誰照護？

但這位承辦警察堅持要以家暴來辦，開始對父親作筆錄，那位主管只好尊重他的作法，先行回辦公室。

承辦警察問父親，「你兒子是不是打你？」

父親表示，「你亂講，我兒子怎麼會打我！」

這下換成這位警察傻眼了，筆錄做不下去，因為沒有被害人，就沒有犯罪行為人，案子無法成立。

最後，警察只好說，你們可以離開了。我說，你把我們弄來，那請你幫我一個忙，請你用警車送我們回運動公園，並告訴我父親，每天一定要散步，身

體才會健康。

承辦警察就照辦，但在警車上，我則內心在想，父親的被害妄想到底是失智症精神行為症狀？還是會適時表現出他的智慧？

第二天早上，當我打開《聯合報》，結果看到斗大新聞標題：

「病父鬧脾氣，拉一把，警察來，路人誤解兒打老爸！曾任教授男子訴苦：父親常懷疑被遺棄」

欸！老爸出狀況，還見報，這位記者從警局紀錄中，竟然找出我的名字，上網 Google 查出媒體刊登出我寫過照護父親的文章，發揮成一篇「精彩」的社會新聞，我的內心真不是滋味。

老爸經常在人多的地方，「技術性」的跌坐在地上，當然引起許多「正義哥」報警處理，次數多了之後，警察看到父親時會說：「伯伯，又是你，來！我們陪你走路！」這下終於輪到老爸傻眼，他似乎明白這招不管用了。

到底他有沒記憶及認知功能受損？我心中打問號，還是我們非藥物療法奏效？讓他比我們還有智慧！

照護筆記

1 當失智症長者有被害狀妄想時，會非常堅信自己的想法，這些行為會造成家人及照護者困擾，第一次出現後，將前因後果紀錄下，作為下次再發生的因應與準備。

2 失智症長者是精神行為症狀？還是智慧的表現？家人及照護者很難去判斷，不妨當作對我們智慧的挑戰，訓練我們應變能力，追求的目標是要雙贏，長者健康與平安，家人與照護者智慧的成長。

3 失智症長者的精神行為症狀會循一定模式重覆發生，家人及照護者如能細心紀錄與研究，必可找出解決與因應對策，但要多準備不同對策，因長者也會變花樣，從正面去想這也表示，他們還會用動腦思考，會減緩退化。

失智症知識

1 被害妄想的發生率是四種妄想中，占次高發生率，約為百分之二十六點九，失智症長者會懷疑別人要毒害他或迫害他。

2 被害妄想大多是長者缺乏安全感，對外界的不信任，內心的一種恐懼所反射出的精神症狀，家人及照護者多給予包容與關懷。

3 妄想內容除受個人因素影響，有些患者症狀發生時，還因為所處於特殊環境或長期緊張狀態，受社會文化因素影響。

妄想：錯認（Misidentifications）

三一八學運讓國華九十一歲的父親，在接連的兩週開始發生躁動，總是嚷著：「共產黨要來了！趕緊準備逃難！」

國華罹患中度失智症的父親每天與家人一同看電視，當他父親看到三二三學生到行政院衝突的電視新聞後，情緒就一直很不穩定，嚷著：「共產黨要來了！趕緊準備逃難！」

民國三十八年，他父親隨軍隊由大陸撤退到台灣，對當年大陸的學潮、社會動亂留下深刻印象，受到電視不斷地報導三一八學運新聞，讓他每天心神不定，十分恐慌，甚至將個人值錢的物品都打包好，弄得家人不知如何是好。

靜美八十二歲罹患輕度失智症的婆婆最近則常叫靜美：「媽媽！」每次叫都

把靜美嚇一跳。前兩天，婆婆還把孫子小翔（也就是靜美的兒子）當成她的兒子，靜美不知要如何回應及處理。

這些都是失智症長者的精神行為症狀之一「錯認」情形，如果不瞭解如何因應及處理，會是形成家人及照護者的照護壓力，影響家庭生活。

失智症長者雖然與我們看到的是同一事物，接受同樣的訊息，由於，他們認知及記憶功能受損，這些訊息進入他們大腦的認知圖，會根據他們已退化的腦來詮釋訊息，產生「錯認」的輸出結果。問題就在我們照護者無法由現在的醫療科技來判斷：他們何時會「錯認」？他們如何去「錯認」？

我們在照護父親的階段，父親從未發生過錯認，當然有可能父親的精神行為症狀大多是妄想為主，但我所安排的非藥物療法的規律化生活作息，經常提供現實導向活動，運用熟悉的環境及家人，給予安全感，過濾及避免可能刺激他的訊息，避免考他誰是誰，盡量保持穩定的情緒，都是避免錯認產生的可能。

避免！、刺激、患者、不考！

以環境改造來說，我們整修三十多年的老房子，水管不通、廚房老舊、壁紙脫落、地板翹起、天花板剝落等，還配合父親未來的需求，必須有無障礙空間，整修的讓外表與原來一樣，避免父親有陌生感。

同時，照護父親每天的功課之一，就是唸出祖父母、他與母親、及我與太太的名字之間的關係。譬如：「伊爵陞的兒子是伊佳奇」、「伊佳奇的父親是伊爵陞」等，唸五遍之後，還要寫五遍，這是從輕度開始，每天晚上認知與記憶功課之一。到了極重度，他一遍都唸不完，寫出的字已歪七扭八，我知道他已經退化了，但他依稀還記得那是他每天晚上的功課。

我們還將家庭過去到現在的重要照片整理出來，每晚的功課之一，請父親告訴我照片中的人及照片的故事。這是認知及記憶療法，透過懷舊的方式，由父親對家人的長相、名字、彼此間的關係、及故事間作一個連結。

從長期記憶到近期記憶都給予練習，尤其是，在他輕度失智症階段，我們陪他返鄉探親，到他成長、唸書的每一地方，無論是他的弟弟、妹妹、姪女等親人的照片，或是我們陪他一起拍攝的照片，都成為避免他錯認的練習功課。

照護筆記

1 錯認的產生是有其因素，要先排除患者的生理因素，以行為科學的方式，來研究精神行為症狀產生的可能環境因素、心理因素、及個人生命史等，找出因果關係，進一步去找出可能誘發的因素，避免這些因素在長者生活中出現，以降低長者精神行為症狀產生的可能。

2 避免考失智症長者產生：「我是誰？」、「他是誰？」徒增長者的挫折感，並可能衍生出其他精神行為症狀。

3 盡可能維持家中的陳設，排除會導致長者走路跌倒的陳設外，維持他熟悉的人事地物，可避免錯認的產生。

失智症知識

「錯認」（Misidentifications, MIT），發生的比例在百分之三十三至五十五之間，產生多種的錯認型態，包括：

1 「錯認」不存在的人在房子裡（MIT to someone in the house）：長者常常告訴家人說，有人在房內叫家人去請他出來，或用餐時，請家人多備一副碗筷，叫根本不存在的人出來吃飯。

2 「錯認」現在住的房子不是自己的家（MIT of home）：失智症長者明明是在自己的家，會出現常常打包行李想出門回到自己的家，雖經家人解釋，長者還是執意要出門，造成家人很大的困擾。

3 「錯認」親人配偶是別人或偽裝者（MIT of people）：有些長者常常把太太當成女兒，或把先生誤認成兒子看待，但通常並無情緒或行為反應。

4 「錯認」為電視上的事件是真實（MIT of TV）：長者有時把電視上發生的事如槍戰、火災，誤認為就在現實中發生，而產生驚恐、害怕逃避的行為。

5 「錯認」鏡中的自己的影像是別人（MIT of mirror image）：有些長者會出現認不得鏡中的自己，因而會對鏡中的人有說有笑。

妄想：幻覺（Hallucinations）

有一天我們夫妻陪著父親在客廳看電視，父親突然說，「你媽媽剛剛進房間，怎麼那麼久了還不出來？」我們兩人都嚇一跳，媽媽已經過世三個月了，父親怎麼會看到媽媽呢？

父親又說：「福福剛剛還在這裡，怎麼一下就跑走了，不要讓牠隨便出門，免得走失了。」福福是家裡二十多年前養的一隻喜樂蒂，父親很喜歡牠，常帶著牠爬陽明山，但福福已經離開十多年了，父親怎麼會看到福福呢？父親是否精神錯亂！還是有陰陽眼？

我上網研究，瞭解到這是失智症長者的幻覺，是失智症患者精神行為症狀之

一，約有百分之三十四點七的失智症患者會出現幻覺精神症狀。所謂幻覺，是沒有真實的刺激，卻有此種知覺。

過去媽媽還在世時，父親就曾有聽幻覺。我們待在家裡後面的房間，陪他打麻將，他常說：「前面有小偷進來偷東西。」

幻覺，可分成視幻覺、聽幻覺、嗅幻覺、觸幻覺等，失智症患者以視幻覺為主。台灣過去研究顯示，約有百分之二十六點三的失智症患者會出現幻覺精神症狀。視幻覺是看到去世的親人或看到動物居多；聽幻覺多半會聽到模糊的聲音，或是聽到親人叫患者的名字，因此失智症患者會往那個方向跑去最後迷路了，約有百分之十九點二的失智症患者會出現聽幻覺精神症狀；嗅幻覺、觸幻覺發生的比例極低，低於百分之一。

當我們為父親規劃出具有非藥物療法的生活作息之後，父親少有出現任何型態的幻覺。我們是這樣做的。

父親生活中的每一項活動，都有家人陪伴，一同進行，讓他有安全感。父親

在活動中有了明確的目標，他的思維會被我們引到這個目標上。從父親早上起床，隨時進行現實導向、洗臉刷牙、早操、早餐、刷牙、穿衣、唸書、拼圖、寫書法、組七巧板、玩象棋、打麻將、幫盆景澆水、一起唱歌等。有靜態的活動、也有動態的活動，每天將活動排得滿滿的。因此，幻覺與父親說Bye Bye！

同時，我們也降低環境可能對父親造成的影響。先從環境因素去尋找可能的誘發因子。室內如有陳設鏡子，將鏡子以布或其他物品遮蓋；環境中避免有噪音或父親不喜歡的聲響；室內溫度避免太高，不要讓父親會覺得躁熱若是反光造成的問題，把窗簾拉上，或直接把玻璃換成毛玻璃或白霧玻璃；另外加強夜間室內的照明，也可減少幻覺的發生。在環境因素考量後，接著我們會注意父親是否有身心需求未獲得滿足。譬如：身體疼痛、騷癢、口渴、饑餓、便祕等其他因素所引起身體的不適，造成心理上的焦慮。

還有就是生理及藥物的可能。

我們隨時掌握父親狀況，一有異狀，感染、脫水、電解值不平衡、鬱血性心衰竭、慢性阻塞性肺病等，馬上與醫師及藥師討論。在藥物的使用上，像是使用抗乙醯膽鹼（Anticholinergic）類、類固醇等藥品，是否是導致幻覺的因素之一。

照護筆記

1 幻覺對正常人雖然是一種假象，但對於失智症長者而言，對他所經歷的幻覺，他通常以為是真實的，長者通常對這樣假象相當堅持。

2 照護者必須以失智症長者的角度與立場來看待，長者會產生這幻覺的處境與感受，切勿與他們爭辯什麼是「真相」，因為他們是受到病症影響所導致出現這精神症狀，不是故意找麻煩。

3 家人與照護者要有心理建設與正確認識，可慢慢轉移談話焦點，並利用失智症長者即時記憶較弱的特性，勿須再提或討論，他們就會忘記那幻覺的內容。

失智症知識

1 路易氏體失智症（Dementia with Lewy Bodies）、血管型失智症（Vascular Dementia）、阿茲海默症（Alzheimer's Dementia）的失智症患者、巴金森氏症合併失智症（Parkinson's Disease with Dementia）到了中、重度時，產生幻覺的機率相當大，尤其是路易氏體失智症、巴金森氏症合併失智症的患者，發生幻覺的情況特別普遍且強烈。

2 國外研究說明，巴金森氏症合併失智症有幻覺和妄想的比例比阿茲海默症多。巴金森氏症合併失智症患者的幻覺通常是視幻覺，患者常會看到栩栩如生的人物，有時會是動物或是物品等。因為很真實，也會動，所以有時患者會想去摸，或找人來證實他看見的東西，這種現象常常發生於夜間。患者的視幻覺內容常是重複的。

3 失智症患者的幻覺與精神病患的幻覺有些不同，精神病患者是以「聽幻覺」為主，精神病患者會跟一個不存在的人對話。但失智症患者通常會發生「視幻覺」的現象。

行為障礙：

攻擊行為（Aggressive behavior）

有一天我回家看到太太左眼一片瘀青，我就知道又是父親的「傑作」。太太說，她和外藉看護陪著父親外出散步，父親不想走，好不容易勸說成功，結果走不到一分鐘，父親突然右手一揮，給她一拐子，打到她左眼，太太當場就變成了熊貓。

那段時間我們發現父親平衡感與肢體功能有退化的現象，為了能讓父親減緩退化，每天都要扶著父親走路。父親有被害妄想，不喜歡有人靠近他，手攙扶著他，他都會推開。當他情緒不好時，就會出手打人。他的平衡感已經出問題，推了人，他的重心不穩經常會跌倒，也因此送到榮總急診過好多次。

那段時間我們夫妻倆身上經常青一塊、紫一塊，傷痕累累。

55%

我們知道父親腦部控管情緒部分已退化，造成各種脫序行為。根據過去台灣的調查，失智症長者的攻擊行為發生率為百分之五十四點七。長者隨著腦神經退化的程度產生病情的變化，對於負面的感覺忍耐力低，自控能力也下降，無法接受外界負面的訊息，再加上認知功能退化，喪失是非判斷的能力，容易誤解別人的語言及行為而變得易怒、激動，或因為幻覺而有暴力行為，以言語及暴力的攻擊行為來回應或保護自己。

父親那時不只會動手打人，還會咬人，打不著或咬不到，就像小孩一樣的朝人吐口水，用粗話罵人已經算是最好的情況了。

語言及行為的暴力兩者都被視為攻擊性行為的表現方式。語言的暴力包括：罵髒話、不當的批評控告及威脅；常見失智症患者控訴家人虐待、不給他飯吃等。身體的暴力包括：敲打、踢、推、咬、抓及任何傷害別人的行為，攻擊性的行為也可能針對自己（咬自己、打自己），甚至嚴重的可能企圖自殺。失智症長者會出現暴力行為，通常是因為被勉強或被阻止做某些事，感覺受挫而產生的反應。所以，照護者首先應避免在聲音或行為上讓長者有生氣或

不耐煩的感受，用正面、接納的態度表達出安撫與關懷。

我現在常在回想，子女在照護父母時，無論父母是否已罹患失智症，其實父母早已習慣既定的生活方式，子女以接受的教育與資訊，認為父母的生活方式是屬於「不適當」、「不良的」，就算基於好意，希望父母改善原有生活方式或習慣，但父母卻不願改變，往往衝突就此而起。難道是子女溝通的方式、態度、技巧、耐性等不足？

兩點之間，直線是最近的距離，但不一定是最好的途徑。

如果，我還有機會重新去照護父親，我不會勉強他去走路，雖然明知道這是為他好，我會考慮以更多的技巧、耐性，以誘因來促使他運動，譬如：每次將他喜歡的餅乾，放在走路的另一方，指引他，我們去吃餅乾，讓他為了吃餅乾去走路，達到運動的效果。

照護筆記

失智症長者攻擊行為的照護原則上建議：

1. 日常生活應盡量規律，避免有「意外」或「太多改變」出現，而且應讓長者有規律的運動，因規律的運動有助於長者身體健康及可減輕照護者的壓力。
2. 當攻擊行為出現時，應保護長者避免傷害自己，移開環境中可能傷害的物品，將長者帶離受到刺激的現場。
3. 適時轉移注意力，譬如：可用長者喜歡的食物或活動來轉移注意力，照護者兩手拍一下對他說：

「你看那是什麼？」來轉移長者的注意力。

4 照護者應盡量避免在聲音或行為上表現出生氣或不耐煩，且應盡量正面、接納的態度來表達。

5 隨時觀察長者在何種情況下，較易生氣或有攻擊性的行為，應嘗試辨認早期徵象，可避免下次攻擊行為的發生。

6 照護者不要認為長者是衝著自己而來，實際上是長者認知功能的退化，導致誤解當時的情況，或對自己的無能感到憤怒。

失智症知識

造成攻擊性行為的因素：

1 攻擊性行為的主要因素是長者缺乏控制力，例如無法自由的選擇日常活動或無能力溝通，都會造成長者的壓力，而產生攻擊性行為。

2 認知障礙的長者往往因精神混亂，譬如：幻覺、懷疑心重等，造成攻擊性行為。

其他因素：

1 生理上不適，譬如：疼痛、發燒、感染等。

2 感覺過度負擔，譬如：環境太吵雜、太多人在同一環境中。

3 因照護者的不耐煩、壓力、不安所產生的反應。

4 日常生活有太大的改變。

5 一次被詢問多個問題。

6 與他人爭辯所產生的反應等，都可能是造成攻擊性行為的原因。

行為障礙：

睡眠障礙（Sleep disorder，wake-sleep disturbance）

老爸在輕度失智症階段，我還沒搬回去照護他前，生活總是晨昏顛倒，白天坐在客廳打瞌睡，晚上則巡視每個房間。一方面怕有小偷進來，另一方面看母親還在不在後面的房間，是否遺棄他，跑了。

老爸可是我們這棟大樓的最佳巡守員，有他在，小偷不敢來。但老媽則慘了，後來，我們搬回去照護他，輪到我們慘了。

所幸，我們運用方法得當，為他建立規律化日常生活作息，使他恢復正常晝夜作息，解除睡眠障礙對他及我們的空襲警報。

在老爸失智症輕、中度階段，少有睡眠障礙，至少可以確認我們的努力是有

成效的。

從輕度階段開始，我們除了規劃並協助父親規律化生活作息，白天盡可能讓他享受到陽光，以活化褪黑激素。飯後固定的午休之外，減少白天休息或打瞌睡，增加體能活動及晚上固定散步。晚飯後，除了服藥，減少飲水，避免就寢後起床上廁所，就不易再入睡。最後，睡前避免任何刺激性活動或訊息、環境噪音等，讓他能有一個安靜及良好的睡眠環境，如此下來，老爸少再發生睡眠障礙。

雖然這些付出，是花費時間、精神、人力等，但我們覺得是值得的。

但到了重度階段，生理上的退化，已是我們無法阻擋睡眠障礙再次到來。在這階段的睡眠障礙，大多發生在秋冬季節交替，甚至是在寒冷的冬天。父親依然按照原有的日常生活作息，由於認知、記憶、肢體功能的退化，我們逐步調整活動內容，包括：難易度、量多寡、種類與型態等，減少認知與記憶活動，增加肢體活動，減少閱讀與寫字，增加丟球、玩沙包、丟圈圈、踢球等活動，但父親白天打瞌睡的頻率仍然增加了。

到了晚上就寢，父親依舊按過去習慣，上廁所、換睡衣、上床，我們向他道晚安，親吻他的面頰，還告訴他：「伊爸爸，晚上要好好睡。」

一個小時不到，就聽到他在床上喊叫，我們趕緊進房間扶他坐起床，先幫他穿好衣服，避免著涼，接著扶他坐上輪椅。我們曾經陪他看電視、陪他玩積木、陪他玩七巧板等，至少他不會再叫喊，吵到鄰居。有時，他一邊玩，還會一邊對我們露出天真的笑容，我們真是哭笑不得。

等他累了，開始打哈欠、打瞌睡等，我們則趕快再度將他送回床上睡覺。此刻，我通常會睡在他身邊，握著他的手，讓他有安全感，能慢慢入睡，只差沒唱搖籃曲。

父親也曾發生，好不容易帶他回到床上又不睡，又再次起床的情形，我們能做的是讓他安心與不吵，接著就是比誰的體力好，誰會先想睡。當然也發生過他還在興致勃勃的玩拼圖，我則已經在旁邊打瞌睡了，但我堅持不用藥物。

父親這階段的睡眠障礙，是因為退化及季節變化所引起的，有了這樣的認知，面對長者不眠吵鬧就比較能坦然面對，我知道只要再過一陣子隨著季節的變

化更迭，父親的情況就會好轉。

失智症長者晚上不睡覺，吵到鄰居、鬧得家人都不得安寧及正常睡覺，做子女的往往束手無策，最後求助於醫師，總是以安眠藥或鎮定劑來協助。現在醫師會希望家人或照護者能以非藥物療法為第一線作法，建議使用藥物是第二線，原因還是藥物的副作用。

失智症長者的睡眠障礙會使家人及照護者的壓力越來越高，如果不懂得如何照護，在睡覺不足、精神不濟下，真的可能會讓照護者失去理智而意氣用事，反而造成家庭悲劇的來源之一。

照護筆記

1 改善睡覺障礙的非藥物療法，一方面對長者及居住環境進行嚴謹觀察與評估、瞭解可能的誘發因素、進行環境的改善、提供量身裁製的活動設計、運動、規律地曬太陽以及光線的治療等，都可以減緩失智症長者睡覺障礙及日落症候群的現象。

2 規律日照能有效改善症狀，白天會拉開家中窗簾，到了晚上則將室內燈點亮，並在睡前放自然韻律的音樂，像是大自然的風聲、海浪聲、水流聲等，以穩定長者的情緒。有時將事先錄下動物頻道介紹可愛的熊貓播放給長者看，讓長者開心，感到溫馨，多利用環境因素營造適宜的情境，有助產生安全感，能安心入睡。

3 每位失智症長者的睡眠障礙及「日落症候群」原因不完全一樣，必須就個別長者的生理、心理、環境、藥物等因素進行瞭解與探討，但提供關懷、溫馨、支持、愛等的態度是一致與必要的。

失智症知識

1
失智症患者因腦部退化，影響日夜的節律，如從生理因素來探討，失智者睡眠時非快速動眼期（NREM）第三期減少且無第四期，及快速動眼期（REM）階段變短，以致睡眠變得片段且夜間醒來次數增加。其他可能原因是患者因為焦慮、憂鬱、幻覺或妄想等精神症狀而影響入睡，導致常見的失智者夜間起床活動或夜間躁動、白天嗜睡、日夜顛倒與睡眠時間破碎化。

2
「日落症候群」（Sundown Syndrome），是失智症精神行為症狀的一種類型，也是睡眠障礙的一種現象。國外各個調查研究的結果差異很大，約有百分之二點四至百分之六十六的失智症患者會發生日落症候群，所以並不是每位失智症患者都會有日落症候群。

3 有「日落症候群」行為的失智症患者還會發生焦躁、激動、吵鬧、大叫、甚至攻擊他人等精神行為問題，或原本就有的精神行為異常，會變得更嚴重更混亂，這往往是家屬會將失智症長者送到安養機構的重要因素。

4 「日落症候群」失智症患者，到了傍晚太陽一下山就容易開始打瞌睡，但又似乎有譫妄（Delirium）、混亂等症狀。因為，晚上老人家想睡時，腦部的血液灌流下降，所以比較容易出現紊亂行為。有的傍晚開始變得容易激動、易怒，若沒有讓長者適當休息，他的大腦陷入混亂可長達十多個小時，有時可能半夜起來開瓦斯、睡一下又跑出去、或起來亂翻東西等。

5

「日落症候群」易發作在季節交替，日照時間改變，因季節轉換之際。日照時間改變，有「日落症候群」的失智症長者及精神疾病患者，精神狀況較不穩定，病症易復發，常合併憂鬱症。日照時間改變會造成褪黑激素變多或是失調，造成大腦內分泌失調，併發憂鬱症比率提高。

行為障礙：

重覆行為（Repetitive phenomena）

我剛搬回家照護失智症的父親，還沒安排他去日間照顧中心，及規劃日常生活作息前，我們兩人在家常是大眼瞪小眼，他總是一再重覆問我：「你太太去哪裡？」

我告訴他，她去上班；隔沒多久，他又再問一次，我都快被他搞得煩死了，明明已經回答過了，為什麼還要問？是不是故意找麻煩！我氣得用電腦印出一張紙貼到牆上，寫著：「少說話，多用腦，知感恩！」

父親每天都會去住家附近的超市，每次買回來的東西裡總有一包白砂糖，家裡至少擺了二十多包。我問他，為什麼買那麼多白砂糖？他回答：「你亂講，

我哪有買！」

當我開始學習對失智症的認識之後，才知道，那是一種失智症精神行為症狀：重覆行為。我真後悔，為什麼當時無法理解父親的病症，卻以為他在搗蛋找麻煩。尤其是，當父親退化成失語時，我真希望他就算說一句話也好，但那時已經很難再讓他開口說話了。當父親失去功能性日常生活能力時，再也無法去買東西了。

那時，我才懂，為什麼照護失智症長者時，一定要「掌握當下」，因為他們只會不斷的退化，身體的各種功能一去不復返。

我開始為父親規劃規律化的日常生活作息，讓他生活的每一個時刻都有目標，都有焦點，讓他專注在那些活動上，自然就降低、不再發生重覆行為，甚至其他精神行為的症狀都跟著減少，或不再發生了。

事實上，如果僅是針對重覆行為進行處理，而沒有提供規律的生活作息，失智症長者還是有可能出現其他精神行為症狀，譬如：妄想、遊走、收集行為、錯認、幻覺等，規律化生活作息是提供非藥物療法的內容，讓長者能進入有

興趣、而且是我們可掌握的活動，才有可能整體去降低各種的精神行為症狀。

現在的社會科技發達，已有許多3C產品可以加以運用。智慧型手機都有錄影、錄音及照相等功能。若長者已吃過早餐，卻還說自己還沒吃早餐，可以在餐廳準備日曆，當長者在用早餐時，以手機拍攝長者吃早餐、日曆上的當天日期的照片，也可錄下家人與他對話，對話內容可一併進行現實導向活動，問他：「今天是幾月幾號？」包括問說：「現在是吃早飯嗎？今天早飯吃些什麼？」等實際進行的內容。

吃完飯，若長者還嚷嚷沒吃飯、他要吃飯時，一方面家人可輕鬆的提醒他，「我們來看看剛剛是誰在吃早飯」，將剛才錄影的影音放給他看，從畫面中回顧今天的日期，及剛剛早飯的內容；如果他矢口否認，影像中剛才發生的事務，不需與他爭執，只要說，「沒關係，如果剛剛沒吃飽，我等一下再準備吃的。」請他先進行照護者規劃好的活動，轉移當前的注意力到下一個活動內容，可以請他幫忙先整理一下衣服，或簡單的家事。

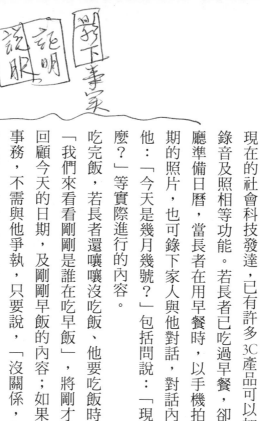

如果重覆行為是重覆洗臉、刷牙或洗澡的，則更須留意。長者的皮膚禁不起一再的清洗，可能一天洗五、六次臉，結果引發皮膚紅腫等反應，或是不斷的刷牙而導致牙齦出血等。

家人可技術性的進行一些必要的導引動作，暫時先關掉水的總開關，並在浴室中貼上「今天停水」大字報，讓長者抱怨一下，趕緊將他注意力轉移到其他的活動。

照護筆記

1 如果發現失智症長者正在重覆進行某種不該做或不安全的事時，要馬上請他停止，但一定要注意當下所使用的語氣，不要大聲喝止或斥責的方式，更不必說一大串的道理。

2 失智症長者就是因為認知及記憶功能退化，才會有這類精神行為症狀出現，千萬不要以為說道理會讓他們瞭解，以後就不會再犯。

3 失智症長者不會記得這些說教的內容，反而會讓他們覺得混亂、挫折、失去尊嚴。而家人的口氣要避免用像對小孩子一樣的斥責口吻，長者雖然是失智，

仍會有自尊心，不當的言詞可能會影響他的心情，或產生憂鬱或暴力等其他精神行為症狀。

4 重覆行為通常反映了他們對自己身體最在意的部分，所以很難斷根。譬如：愛漂亮的母親可能會重覆洗臉，再三使用某種洗面乳使得皮膚過敏變紅，提醒後可能會暫時停止改善，但過幾天可能又會出現。

5 照護的過程是一連串鬥智、挑戰的過程，照護者要以失智症長者的安全及對身體是否構成威脅的行為來考慮照護技巧的運用。

失智症知識

1 過去台灣地區的研究顯示，重覆現象行為的發生率為百分之六十二點七。

2 剛開始出現只是重覆言語，也許是好幾天才問一次相同的問題，到了失智症中期，出現的頻率增加，往往前一分鐘已回答，但轉個身長者又會問相同的問題。這種現象往往使家人或照護者不勝其煩。而重覆行為大多出現在失智症中期，如重覆買相同的東西，重覆做一些漫無目的的行為，翻箱倒櫃，將東西搬來搬去等。

3 在尊重長者的前提下，以長者安全為重要考量，如何運用科技、智慧、技巧與方法、配合堅定溫柔的語氣、和藹的態度。當失智症長者重覆行為出現時，幫助他們轉移焦點，並將注意力置於規劃好的活動，使長者「暫時」忘記重覆行為，根本之道還是在規律化的個人生活作息。

行為障礙：

貪食（Hyperphagia）

父親一向愛美食，除夕會下廚燒幾道大菜，讓我們好好吃一頓，這是我兒時最美的記憶。

我搬回家與父親同住時，他的好胃口讓我大吃一驚。我們才吃完豐盛的一餐，他又立刻開冰箱找吃的，房間的櫥櫃裡更是放滿了他自己去超市買回來的各式零食。他好像不知道什麼是「飽」，有時還像小孩子吃到撐得想吐。

當時父親很肥胖，腎功能也不是很好，我開始想要如何來控制他的飲食？營養師建議我們，除了少油、少鹽，對腎功能不是很好的父親來說，一些高蛋白的食物也要控制。我們先進行少量多餐的原則，將每天三餐分成五餐，

並開始為父親準備許多高纖低脂的食物，燕麥片、胡蘿蔔、芹菜、蒟蒻、牛蒡等，同時將杏仁、葡萄乾、核桃仁、黑芝麻等食物用調理機打成細粒狀作為調味料，增加食物的口感。

同時，紀錄每天進食的時間、內容與量。每當父親喊著要吃東西時，我就看時間，拿出這些事先準備好以高纖、低脂食品為主的食物。這些食物先碾碎或切成小塊，利於咀嚼和吞嚥，又可顧慮老人的吞嚥功能與牙齒狀況。

帶父親去看營養師的部分，重度後由每半年去諮詢一次，縮短為每個三月一次，我將紀錄下來的數據與內容，配合著驗血驗尿的數據，拿去請教營養師，並針對討論的結果及營養師的建議調整接下來父親的飲食內容與方式。

有些失智症家庭或機構會用鐵鍊鎖住冰箱，或將廚房門加裝鎖，目的就在防止長者去找食物。我們的作法是，順著他的要求但不寵壞他，一方面少量多餐，提供高纖低脂食物，掌握不去與父親爭論是否吃過飯，先拿出事前準備的食物，另一方面開始協助父親轉移注意力到非藥物療法的活動中，讓他開

心有吃又有玩，家中沒有爭吵吃飯與否的問題，只有開心的歡笑。

民以食為天，人類必須靠足夠的營養才能維持生命與身體機能，人生下來就會吃。失智症患者卻因認知、記憶功能受損，在失智症精神行為症狀中，會有貪食行為，長者會不自主地持續找食物吃，往往會攝入超過身體所需的熱量形成肥胖症（Obesity），及產生對照護者的壓力，對長者及家庭都有負面的影響。

失智症長者的認知與記憶功能受損的情況下，所產生的精神行為症狀，並非長者故意找麻煩，或故意忘記，照護者不要受影響，與其計較或生氣，應考慮諮詢專家來面對問題，提出有效與適當的解決方案。

此外，失智症長者這類型的行為問題，會與疾病罹患率及致死率有關，影響傷口癒合、增加感染、降低肌肉張力、產生疲憊等。

地中海飲食型態，被視為失智症與心血管疾病患者都應培養的飲食型態。當為長者準備食物時，可在飲食中攝取較高比例的各種生鮮蔬菜及水果、穀物、

豆類、含豐富不飽和脂肪酸的植物油（特別是橄欖油）、魚，但攝取少量含飽和性脂肪酸的動物性油脂、肉類製品及家禽、以及低至中量的乳製品，如乳酪或優格，在用餐期間規則或適量的攝取葡萄酒。

這類食物富含天然抗氧化物，例如維生素B群、葉酸、β胡蘿蔔素（β carotene）、維生素C、E等，許多研究已經發現攝取這些來自於天然食物中的抗氧化物，對於失智症的病程進展有相當程度的正面幫助。

照護筆記

1 失智症長者貪食行為出現時，不會分辨有沒有吃飽、該吃多少，看到食物就吃。若對吃無法自我控制，家人與照護者必須在旁觀察與紀錄，並給予協助與引導，維持長者適度的飲食。

2 不會分辨自己或他人的食物，在家裡會亂翻東西來吃，甚至不會辨別可食或不可食的食物，這稱之為誤食行為。曾有失智症長者服藥時，在家人不注意下，誤食桌上的鑰匙，不幸噎死，家人的疏忽形成無法挽回的遺憾。

3 失智混亂行為產生時，在用餐時間常常無法專注於食物，容易出現拒吃的行為，加上語言功能障礙，失智症長者不會表達或解釋自己的飲食喜好，因此需要照護者及家人經常口頭提醒與進食的引導，在旁陪同進食，作出示範動作。

失智症知識

1 根據失智症臨床研究，失智症患者的貪食行為發生率為百分之三十六。有貪食行為的患者會不停地吃東西，不記得自己剛剛已經吃過東西，這是失智症精神行為症狀之一，症狀還包括：拒食或過食等。

2 台灣照顧失智老人日常生活功能困擾程度的研究顯示，吃過量或拒吃是主要照顧者在照護失智症長者時，最困擾的前三項之一。這個問題若不加以正視及處理，可能帶來失智症長者許多健康問題，譬如：拒食導致營養不良、過食導致肥胖及慢性疾病、誤食導致身體不適，嚴重時會死亡等。

3 常見的狀況：忘記吃過飯或已經吃飽，即使一再提醒但長者在短時間之內很快又忘記，因此失智長者會不斷要食物吃，或吵著要吃東西，此行為反應在每天都會重複出現。

父親一週飲食

我們通常會幫老爸規劃一週的飲食。後來父親體內的血色素不足，我們在菜色中增加牛肉和豬肝的比例；隨著他吞嚥功能退化，我們不用一般人以食物處理機把食物打成糊狀的方式，而是儘量把食材切得比較細碎，或蒸得比較軟，方便吞食，我們幫父親準備的食物還是有口感，每一道菜也都有各自不同的味道。

父親不愛喝水，醫生交待每天要喝二〇〇〇cc的水，我們就做成吃的水，以綠茶或稀釋的果汁加上寒天，做成類似果凍的食物，讓父親容易吞嚥，不易嗆到，每天讓外藉看護帶到日照中心，定時給他進食。

	週一	週二	週三	週四
早餐	豆漿 麥片粥	紅豆紫米粥	豆漿 麥片粥	紅豆紫米粥
午餐	日照中心午餐	日照中心午餐	日照中心午餐	日照中心午餐
點心	日照中心點心	日照中心點心	日照中心點心	日照中心點心
晚餐	蔥燒排骨 青豆蝦仁 蒸南瓜餅 燙青菜 水果	栗子燒雞 家常豆腐 涼拌大白菜 燙青菜 水果	咖哩牛肉 魩仔魚炒蛋 炒四季豆 燙青菜 水果	蒸鱈魚 糖醋排骨 涼拌海帶絲 燙青菜 水果

	週五	週六	週日
早餐	豆漿 麥片粥	溫牛奶 現烤鬆餅	溫牛奶 現烤鬆餅
午餐	日照中心 午餐	菠菜豬肝麵 水果	乾煎鮭魚 青椒牛肉 五色時蔬 蛤蜊湯 水果
點心	日照中心 點心	自家茶點	自家茶點
晚餐	咖哩雞 豆乾牛肉絲 炒高麗菜 燙青菜 水果	紅燒獅子頭 雞絲拌粉皮 韭黃老燒蛋 燙青菜 水果	外出用餐

行為障礙：病態收集（Hoarding behavior）

當我觀察到父親喜歡將用過、沒用過的衛生紙都收到口袋後，一開始我先不動聲色，等到父親晚上上床睡覺後，我再靜悄悄地去他房間，將他衣服每一個口袋的衛生紙，拿出來丟掉。

自從父親每天開始認為有小偷進屋的幻覺，還會將家裡及外面所見到的衛生紙，不管是乾淨的或已經用過的，通通都收集起來，在他房間裡總是東藏一些、西藏一點，將這些衛生紙找出來丟掉，已成為我每天晚上父親睡覺後的功課。

父親對於衛生紙「節省」的使用方式，也讓我們十分頭痛，他上完廁所會將

那些使用過的衛生紙藏在口袋，有時甚至會不自覺的從口袋拿出那些用過的衛生紙擦拭嘴或眼睛，我們怎麼能不擔心這些行為會影響到父親的健康。

記得我小時候，父母會要求小孩先將衛生紙對半撕成兩份來用，用的時候還要對摺起來，每次還只能用一張，但用完也都會丟掉，也沒教我們「回收」再用。我小學時，每天都會為我們準備乾淨的手帕衛生紙，因為老師會檢查這兩項個人衛生用品。但是，為什麼現在父親會變成這樣？

經過我上網搜查研究，瞭解收集衛生紙的行為是一種失智症患者的精神行為症狀「不適當的行為」中的一種，與父親失智症認知功能受損有關，結合成一種影響個人衛生的情況，不適當的收集衛生紙又可能與他生命史有關。早年大部分的家庭經濟並不十分寬裕，衛生紙是一項重要的民生物資，但品質與今天相比是粗糙卻價格不斐，所以才會從他遠期記憶中，將衛生紙的珍惜投射在現在的行為上。因此，我們不能以現在的生活價值，去責怪父親的行為。

另外，父親還喜歡收集棍棒、鐵錘、螺絲起子、老虎鉗子等工具，這又與他早年投筆從戎，在軍校是唸工兵科，曾在部隊負責造橋開路等工程任務有著密切關聯。

我們剛回父親家時，先察覺到家裡的環境十分髒亂，廚房與飯廳到處都是蟑螂、螞蟻，我捲起袖子開始大掃除，又發現家裡到處藏有棍棒、鐵錘、螺絲起子、老虎鉗子等工具，數量之多讓我十分驚訝。我將這些物品整理起來準備丟棄，父親看到了不准我丟，堅持要留下來。

父親說，這些物品是有用的。我認為家裡並不需要這麼多這些物品，占用了家中許多空間，兩人為此爭吵起來，父親甚至打一一〇報警，說兒子要殺他、要謀財害命。警察很快就到家中查看，差一點就將我當現行犯逮捕。

雖然，對於父親報警這件事，我已有豐富的經驗及應對方式，但事情發生時，還是十分困窘與難堪。

後來我靜下心研究認為，父親單獨在家，心裡會害怕，產生外人進來家裡的

幻覺，甚至過去參加戰爭的經驗一再出現，妄想有人對他不利，於是產生了收集棍棒保護自己的行為。至於鐵鎚、螺絲起子、老虎鉗子等工具的收集，可能是過去在軍旅長期與工程任務有關的生活，這一段生活是他重要的遠期記憶，於是念念不忘這些工具對他的重要性。

我從整理衣服口袋衛生紙的經驗中，學會了照護父親的一件事：不要在父親面前，處理或丟棄這些物品，要趁他不在家，或睡覺以後處理，如果他事後問起，則轉移話題，不要正面回應，他是患者，這是病症行為，沒有什麼道理與對錯好講。

照護筆記

1 以安全為優先考量，不需立即與失智症長者爭執其所收集的物品，而是讓長者進入每天安排的活動與遊戲的規律化生活，當長者逐漸忘記這檔事之後，再尋找適當時機處理。

2 失智症患者會先喪失短期、即時記憶，也就是剛剛發生的事，才過一會兒就忘記，如果沒有安排活動與遊戲轉移注意力，即使他忘記剛剛收集的物品，一會兒看到，就會再去收集，產生重複行為。

3 一旦進入規律化的生活，已轉移注意力，「忘記」要去收集物品，所以懂得失智症患者的症狀與非藥物療法的重要性，是照護失智症長者的必要知識。

失智症知識

1 不適當地收集或藏東西是一種「不適當的行為」，還包括一再重複的活動、和不適當的性行為。

2 根據台灣的研究統計，百分之六十二點八的失智症患者有言語重複或行為重複。言語重複發生在輕度失智症，經常重複說同樣的話、問同一個問題，有時是連續好幾天問相同的問題。失智症中期重複的頻率會增加，使照護者不勝其煩。

3 行為重複則較常出現在中度失智症之後，患者會重覆買相同的東西、重覆要求吃飯、或重覆做一些無目的的動作：開關冰箱、開關抽屜、翻箱倒櫃、開關房門等。

行為障礙：

不適當性行為（Inappropriate sexual behavior）

雖然父親會有各種精神行為症狀，在生活上帶給我許多狀況，讓我有許多人生的第一次：第一次坐警車、第一次見警察持槍進家門、第一次上報紙社會新聞（我大學就上過報紙頭版頭條政治新聞）……但是，還好他沒讓我面對更尷尬的場面——不適當性行為。

生性保守害羞，謹守男女授受不親老規矩的父親，連在日間照顧中心坐在旁邊的老太太不小心碰到他，他都會生氣，在這方面他非常敏感。日照中心聖誕節活動，會安排老人家上台表演，請父親和老太太跳舞，但他說什麼都不肯，直到我「下海伴舞」，他才肯上場表演。沒想到父親如此的老古板，竟

然免除了我不少尷尬。

日照中心有一位已經失語的老先生，老先生看來溫文儒雅，每天陪著來的太太也氣質出眾，看得出來是一對感情很好的夫妻。老先生每天就在機構內不停的遊走，安安靜靜也不打擾人，但是女性照服員上前問候時，他立刻一把抱住對方，雙手放在女性照服員的臀部上。還有一位爺爺沒事會將生殖器從褲子內掏出來，向機構內的女性「獻寶」，常嚇得媽媽們罵他「老不羞」。

陪伴老人家到日照中心的外藉看護，也常常討論她家的爺爺變了，最近竟然會偷看她洗澡，她為了保住飯碗，不敢向老闆說，只能在日照中心向照服員訴苦。

我在一旁聽到照服員討論如何幫助她，我建議她可趁爺爺熟睡之後再去洗澡，或者可提早起床，趁爺爺還在睡覺趕緊去洗，如果還是不行，必要時等送爺爺到日照中心之後，利用午休時間回去洗，交由照服員看著爺爺睡覺。

總之，不需要指責爺爺，他一定會否認，且會生氣，不僅影響到爺爺的情緒，也讓她在照護上更加困難。

失智症患者由於認知、記憶功能受損，逐漸失去正確的判斷力、決策力、抽象思考力、執行力、方向感、空間感等應有的基本能力，百分之九十以上的患者會有失智症精神行為症狀，「不適當性行為」屬於行為症狀之一，患者會在公共場所脫光衣服、不適當的觸摸他人的身體，手淫或玩弄性器官等。「不適當性行為」對失智症長者來說，可能是毫無意義的行為，但對並未患病的卻是認為非常不當的。當照護者阻止長者去做這類行為時，衝突就會因此產生。

若長者出現「不適當的行為」時，先以溫柔而堅定地態度轉移他的注意力，轉移到他有興趣喜愛的活動或事物上，並找職能治療師規劃出適合長者的非藥物療法活動，如此才有可能降低或減少這類行為。

失智症患者的精神行為會隨著病程的發展，與生理、肢體功能的退化狀況而有所不同，且個別化程度特別高，曾在其他失智症長者身上發生的精神行為症狀，並不一定會發生在自家失智症長者身上。

感謝老爸，沒帶給我這方面的困擾。

照護筆記

1. 失智症精神行為症狀的行為障礙——「不適當性行為」的發生率約有百分之十三點二。

2. 失智症長者出現「不適當性行為」時，如果家人或照護者直接阻止，衝突很容易因此產生。

3. 當失智症長者有「不適當性行為」，可以溫柔而堅定地態度轉移他的注意力，到他有興趣喜愛的活動或事物上，這就是非藥物療法的重要性與功能。

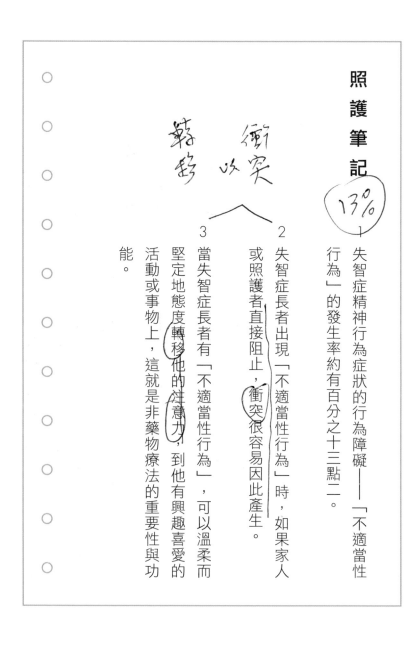

失智症知識

生理之原因

1
醫學上研究說明，長者出現「不適當性行為」，在腦神經退化因素方面包括：額葉（Frontal Lobe）、顳葉（Temporal Lobe）、海馬迴、視丘、下視丘等，影響神經傳導物質或荷爾蒙作用，如多巴胺、血清素、乙醯膽鹼、雌激素、睪固酮或生殖荷爾蒙釋放刺激素的濃度或功能，形成性欲望、性衝動、興奮等的控制能力出現問題。

2
除腦神經退化因素，藥物副作用、癲癇、中風及其他生理因素，或社會文化因素均有可能影響。

第7章

醫生沒有告訴你的失智症非藥物治療法

失智症非藥物療法的迷思

我們傳統觀念上認為，生病要就醫，就醫要吃藥，病就會好。面對所有慢性疾病，這個觀念就觸礁了。因為慢性疾病一旦上身，幾乎就跟著我們終老，除了按時服藥，還必須配合生活習慣的調整，才能與病共存，不致惡化及影響生活。

失智症是一種慢性疾病，百分之九十至九十五的失智症無藥可治癒，必須靠非藥物療法減緩退化、降低精神行為症狀的產生、減輕照護壓力、維持家庭及長者的生活品質。但為何失智症非藥物療法在家庭中無法落實？無法與日常生活相結合？還是在於觀念，及社會中的迷思。

非藥物療法只有醫療專業人員才會？

事實上，如果家人能學習非藥物療法的類型、方法、技巧，配合長者的生命

史、生理、心理、能力、興趣、喜好等條件，就可自行為長者量身裁製適合的非藥物療法日常生活作息活動。

失智症領域醫療專業人員瞭解非藥物療法一般性觀念與作法，但無法為長者打造個人化的內容，當前健保制度及實務上都有困難，只有靠家人才能完成。

非藥物療法只能在醫療機構或「學堂」進行？

要真正發揮非藥物療法對長者的功效，必須將它與日常生活相結合，也就是要能在家進行。

讓日常生活中每一項活動都蘊涵著非藥物療法功效。譬如：盥洗、如廁、吃飯、穿衣、拼圖、唸書寫字、連連看遊戲、打麻將、下象棋、寫書法、畫圖、玩七巧板、丟圈圈、丟沙包、玩積木、看過去的家庭照片，一起回憶照片中的故事、做家事、做算術、種花、種菜、唱歌、養寵物、購物、外出活動等。這些活動都是家人可執行的活動，只是要為長者學習每項活動所蘊涵的是認知、記憶、肢體功能活動，還是屬於認知療法、懷舊療法、現實導向、園藝

療法、音樂療法、芬芳療法、按摩療法等範疇。

事實上，每一項活動可兼具兩種以上的非藥物療法內容。譬如：打麻將，包括認知、記憶、上肢肢體等活動；陪伴父親返鄉探親，包括懷舊、現實、肢體、認知等療法，完全在家人及照護者的知識與經驗之內。因此，在醫療機構或「學堂」進行非藥物療法，是教導家人如何運用，真正是要能在日常生活中落實。

非藥物療法只需每週兩次，每次半天？

這就是目前在醫療機構或「學堂」進行非藥物療法的安排方式，那是受健保及預算的限制，才會如此安排，真正的做法是與日常生活相結合時，從長者每天起床到睡覺，所有活動都可蘊含非藥物療法活動，讓長者自己動腦、動手、動腳、動嘴、動鼻、動耳等。

非藥物療法可以制式化複製使用？

每一個長者都有其個別的背景與條件，有些活動可沿用或參考別人的作法，

但執行時，還是必須符合長者的興趣與喜好來規劃，他沒興趣，條件無法配合，再好的活動也枉然。

完全以家庭資源來規劃非藥物療法活動？

在家庭資源有限的情況下，非藥物療法可結合社會資源，包括：社區或民間團體有許多免費的音樂、藝術、文化、電影等活動，大家可上網搜尋，找出適合家中長者參與的活動，安排家人陪伴參加。以台北市而言，文化局所屬的社教館每年規劃五十二場「文化在巷子裡」活動，大安森林公園、青年公園露天音樂台週末晚上均有各種音樂活動，家人可為長者找尋適合的活動，全家一起去。（請參考附錄所提供的資訊」）

為了活動而去做活動？

非藥物療法活動是讓長者開心的專注在過程中，少做一次、遲些時間、都是瑕不掩瑜，維持長者愉快的心情，快樂地度過每一天，參與活動是過程重於成果。

照護筆記

失智症之非藥物治療的目的：

1 促進失智症藥物藥效
2 減緩退化 維護生活機能
3 降低精神行為症狀產生
4 維持患者與家庭的生活品質
5 減輕照護者壓力負荷
6 提高患者與家庭生活樂趣
7 促進（輕中度）患者生活自立

A
B

失智症照護的迷思：

1 傳統醫療觀念醫療人員責任 依賴藥物
2 對失智症（類型、病程、BPSD 等）不瞭解
3 對生活照護瞭解有限
4 對非藥物療法瞭解有限
5 不瞭解照護計劃重要性
6 未建立照護體系
7 不瞭解社會資源
8 不瞭解輔具與老人福祉科技的運用
9 照護者未建立抒壓管道

Carer needs Breaks

懷舊療法（Reminiscence Therapy）（1）：

父親兒時故鄉的回憶

二〇〇四年在中秋節的前夕，我希望減緩父親失智症的退化、並降低精神行為症狀，於是利用「懷舊」及「母難節」的名義，終於成功地帶他返回福建寧化的老家祭祖探親，讓他重回六十多年未見的故里。

「懷舊療法」有助於失智症長者重拾自我的肯定與信心，因為失智症長者往往對於過去的記憶，印象十分深刻，對於短期或即時所發生的事，卻無法記得清楚。此次協助安排父親返鄉，就是試圖利用「懷舊」幫助父親利用清楚的兒時記憶，重建自信心。

有人說味覺、情境可以喚起深藏於心底的記憶，而失智症患者最能保存的

記憶正是深層記憶（遠期），也就是早期或小時候的事，所以在失智症非藥物療法中有所謂「懷舊療法」。這些是屬於正向的回憶稱之為確認懷舊（Validating reminiscence），確認他的過去擁有豐富的人生。

記憶功能的逐漸喪失先從短期記憶、即時記憶開始，所以失智症長者會忘記剛剛發生的事、說過的話。如果我們一再問他或一再責怪為什麼忘了，僅僅徒增長者的挫折感。相對而言，我們透過長者的遠期記憶進行懷舊療法，可增加長者自信心與成就感，增進情緒的穩定。

父親失去定向感，對人物、時間、方向等欠缺認知及記憶，他僅對目前所居住的處所及其附近還算熟悉。他寧可選擇留在熟悉的家中，更何況已經離開六十年的家鄉，對他而言，雖在腦海深處仍有記憶，但要他面對如何前往的過程，會讓他裹足不前，寧可不去。

為了幫助父親穩定失智症病情，「懷舊」是讓他重拾腦海中過去的記憶，建立起自我的信心與肯定。我先帶父親前往基隆好幾次，去看那棟四、五十年

的舊樓，那是父親成功創立自己第一個事業的地方。父親與母親從軍中退役後，赤手空拳到基隆經營書店，為家庭建立起往後的經濟基礎。我還帶父親到當年祖父在基隆駐診的中藥房，父親還依稀認得藥房老闆夫婦，走進藥房時，他也還記得祖父當年看診的小房間。

懷舊的工程，除了到基隆外，我積極規劃讓父親願意返鄉探親，有體力負荷遠行的舟車勞頓。

進行心理建設與體力復健工程的同時，我開始不時地進行道德勸說，經常拿出民國八十九年我首次為他返鄉探親掃墓的照片，提醒他母親是最疼愛他的，她去世三十多年來，父親未曾返鄉掃墓，盡為人子的基本孝道。中秋節他過生日，應視為母難節，返鄉掃墓盡孝道。

最後，眼見時機成熟，我立即著手規劃行程。我分別聯絡福建的親戚、訂機位、辦台胞証、安排住宿及交通工具等，其實這些工作都十分單純，最大的挑戰還是我的父親。因為受到失智症的影響，他仍會焦慮不安，最令人頭痛的是，他不記得曾數度允諾要返鄉探親掃墓的事，所以行前工作儘量低調進

懷舊療法（Reminiscence Therapy）（一）：父親兒時故鄉的回憶

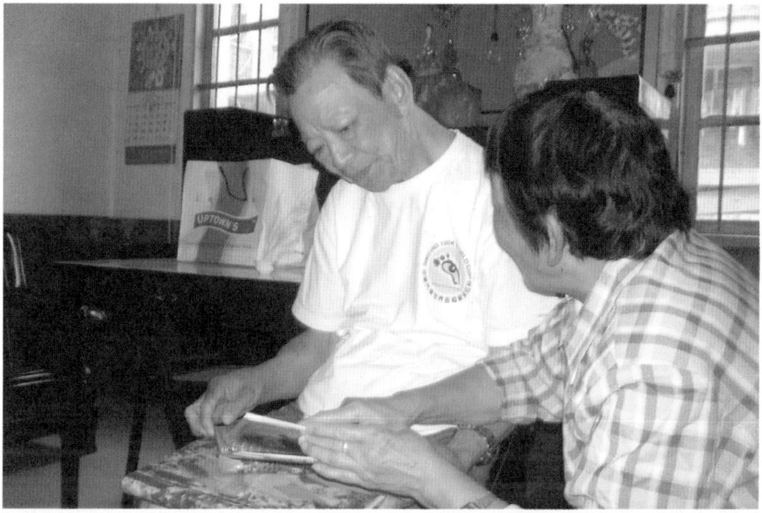

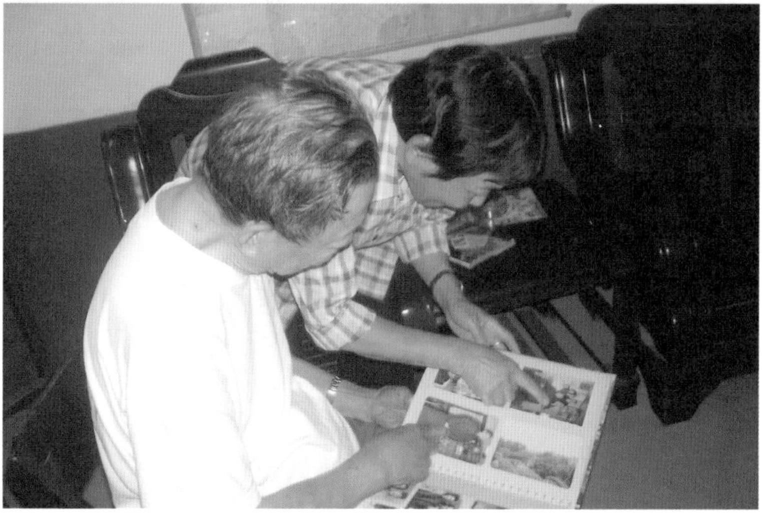

行，不讓他知道，以免造成他更加恐懼、被迫害妄想。甚至打包行李，都儘量做到神不知鬼不覺的境界。

九月二十四日早上臨行前，我先將行李放進後車箱，按照平日的作息，告訴他我們要去日照中心上課，以避免節外生枝。直到車子上了高速公路，他也發覺今天的路線與平日不同，我才告訴他，我們今天是要去機場，準備前往福州與我太太會合過中秋節，她已前往上海出差，我們早已講好了要到福州一同與親戚過節。

這時父親倒是靈光起來，他推說證件、機票、行李等都沒準備。我表示你放心，一切都安排妥當。父親找不到藉口，如同被趕鴨子上架，不得不同行。

在機場他沒出狀況，一切十分順利，辦理登機手續、檢查行李、查驗證照、通關都平安無事，可以確認他心理上已經接受「去福州」這個事實。我們先到航空公司貴賓室休息，幫他拿一些平時喜歡的飲料、熱食及點心，讓他先安心吃東西，此刻反而是他心急怕飛機不等我們起飛了，一直催促我趕快登機，我只好不斷拿出登機證解釋飛機起飛時間還早。

飛機到了香港轉機，才走出空橋，父親就問，我們怎麼到香港？我抬頭一看，原來牆上寫著「WELLCOME TO HONG KONG」，父親居然看得懂英文了。我們到了香港機場同樣的問題一再發生，每隔幾分鐘他就問我一次，「飛機是不是要飛了，我們是不是該走了？」他的表現好像「歸心似箭」，我明白其實這正是他的個性及失智症的影響下所表現出來的行為模式。

不好容易到了福州長樂國際機場，內人已與福州的外甥女一同等我們，父親見到熟悉的親人之後才比較安心。到福州市區他姪女的家中，他更是卸下了所有的防衛心，表現的比較輕鬆，但仍一直問這裡是哪裡，是不是台北？我們依舊耐心地回答他，「這裡是福州，一切都安排好了，台北的家也有人照顧，請他放心」。我特地請父親的姪女多聊一聊當年的家鄉情景，以喚起他腦海中深層的記憶。

第一天晚飯後，我仍依照原來台北的生活作息，帶他出門運動，一路上，他一直擔心我們會迷路，數度問我這裡是哪裡，要我不要走遠了，免得找不到路，走不回去。

第二天一早，我們就整裝待發前往寧化，但我事先交代所有同行的人，不准提此行是要到寧化，只告訴父親要出門遊山玩水。一路由福州、南平、沙縣、三民、明溪、清流縣，將近八小時的路程，他一路上心情非常平靜，相隔六十年沒有再見過，當然變化很大，他直呼都市的新風貌已讓他認不得，直到寧化的前一站清流縣，他才領悟這個地方距離他的家鄉寧化很近，只有四十哩，他開始近鄉情怯，有些不願意前往寧化，甚至看到公路旁書寫著福建省三民縣字樣，他還很高興，以為已遠離寧化，重返三民縣。

為了平穩父親的情緒，我只好說，我此行一定要去寧化掃祖母的墓，如果他不願去，可安排他去三民，我則要前往寧化。同時再次進行道德勸說，提醒他，他的母親過世三十年了，他從未返鄉掃墓，如果還感念祖母對他的養育之恩，他應該回寧化親自掃墓。經過我一再苦口相勸，他鬆口同意。這時車子已經逐漸駛抵寧化縣境，我心中的一塊大石頭終於落下。

我無法確定父親願意在寧化停留多久，所以心中早有兩套方案：如果父親願

意多看看六十年不見的家鄉，就停留兩晚，第三天才離開；如果父親心中仍有所不安，則可選擇第二天一早就返回福州。所以不管選擇哪一個方案，我們一到寧化就先去掃墓，這是此行的首要任務，免得父親隨時變卦。

父親站在祖母墓前，他以馨香祭拜並為祖母燒紙錢，我們一直注意他的狀況，避免他情緒起伏太大，或無法久站。所幸父親的心情雖有起伏，但尚稱平靜，甚至主動拔除墓四周的雜草。最後我們一同照相留念，直到天快黑了才依依不捨地離去，回到父親姪子的家。

晚餐時，我特地在所有的親戚面前徵詢父親的意見，瞭解他願意在寧化停留多久。此行的目的已經達成，所以他可以決定停留的時間。未料，我這麼一問，他先再次問我這裡是哪裡？我們回答是寧化後，他竟然反問這裡不是福州嗎？我必須不厭其煩回應他重覆或意想不到的答案。大陸的親戚都無法理解為何父親會問這些問題，更別論期望他們瞭解什麼是失智症，他們雖好意不斷勸說父親多停留幾天，最後，父親決定第二天一早就離開，此次返鄉探親就只停留一個晚上。

當天晚上，我利用飯後散步，帶父親去看老家，老家的房子早就被拆除改建成寧化縣中醫院。我向他解釋老家旁原有的伊家弄、長工巷都改為翻身弄，他一直說變得不認識了。

第二天早上六點天一亮，我陪父親出門散步，再次帶他到老家看看。這次是白天造訪，所以他看得比較清楚。父親傷感地說，當年中共要拆老家，聽說很多人想要挖出埋在地下的黃金珠寶，結果只找到祖先留下的陪嫁磁器。父親提起伊家有九井十八廳大，是寧化縣的望族，現在一切都變了，只能留在回憶裡。我帶他到老家後側原先養豬的地方，是祖母從青海勞改回來住的房子，只有兩坪大，十分破舊、發臭的環境，父親看到雙眼不禁紅了。

我也提醒父親，老家門前的溪流，通往閩江，祖父當年就是從這條溪流走到南平與他會合到台灣。老家旁邊的橋現在已改建成水泥橋，當年的木板橋是祖父的叔公壽公捐造，這些歷史往事，都是我第一次來時聽到的，當時默默記下，此次一一向父親報告，希望喚起他過去的記憶，我利用「懷舊」達到他病情能減緩退化，增強他自我肯定與信心的目的。

雖然親戚一再挽留我們，但早上八點仍依前一晚的決定，離開寧化返回福州。臨行前，我第三度開車帶父親到老家做此行最後一次的巡禮。對我而言，老家是隨時可以回來的地方，對父親而言，這裡是他出生及祖先居住的地方，感情上是有所牽掛的，已經八十三歲的他，未來是否有意願或體力再來，都沒有人可以回答，所以臨行前，我堅持帶他再到老家四周走走，至少做為伊家子孫及他的兒子的我，已經盡到心力了。

我們返回福州停留了三天，此時，父親反而能清楚地說出這裡是福州，昨天我們在寧化……這幾天的記憶在我對他反覆加強說明之下，父親有了清晰的認知及記憶，所以證明對輕度失智症患者進行加強的懷舊工程，有助於利用過去的記憶來結合當前的記憶。

照護筆記

1 失智症長者還是可以與家人出國旅遊，關鍵在於事前的準備與安排是否周全，同時評估長者的體能與精神。

2 即使有熟悉的家人陪伴，到了陌生環境，還是會有精神症狀，要靠家人不斷的給予安撫，以增加安全感，並利用他喜愛的食品或物品，來轉移注意力。

3 外出旅行一定要帶長者的藥物，必要時，精神症狀的藥物要帶齊全，以備不時之需。

4 將旅遊重要景點及家鄉對長者有意義的景象拍攝成照片或影片，返家後，仍可做為懷舊之用。

5 懷舊療法過程中，還包括肢體活動、認知、記憶、現實療法等，家人可隨時掌握機會為長者進行多功能的非藥物療法。

懷舊療法（Reminiscence Therapy）（Ⅰ）：
舌尖下的記憶

小時候，家裡的年夜飯都是由父親負責掌廚，每年也只有這一天，我們才有機會嚐到他拿手的福州菜。父親患失智症之後，早已遠庖廚，但回憶中的美味，直至現在，我們一想到還是覺得齒頰留香。

有人說味覺可以喚起深藏於心底的記憶，而失智症患者最能保存的記憶正是深層記憶，也就是早期或小時候的事，所以在失智症非藥物療法中，有所謂舌尖下的懷舊療法。

我與太太去學福州菜，一方面希望做菜的過程及菜餚的味道能讓父親記起往事點滴，減緩記憶退化。另一方面也希望讓父親經由聞與看到食物，喚起他

的記憶，讓他的手藝得以留傳。

父親出生在閩西，但被祖父送到福州倉前山、教會所辦的英華學校念書，因而有機會接觸福州菜。他做的紅糟雞、糖醋魷魚腰花海蜇、糖醋排骨、冰糖芋泥，及冬筍燒肉閩西菜，都讓親戚朋友讚不絕口。

父親出身富裕家庭，小時候在家鄉嚐遍各式各樣的閩西菜，到福州念書後，則開始接觸福州菜。味覺敏銳的他，對做菜產生了興趣。他的刀工細緻，能將食材切絲如髮、片薄如紙，不知這是否與他學工程的背景有關。

父親做糖醋魷魚腰花海蜇這道菜時，他先將魷魚斜雕十字花刀後切塊，汆燙成為有立體感的魷魚捲，並以他熟練的刀法繼續切好腰花，熱油將腰花、魷魚及海蜇快速過油，加入精心調製的糖醋醬，最後放入鋪上老油條的盤內，一道福州名菜就完成了。

這道菜口感十足，海鮮極有嚼勁，再加上酥脆的老油條，令人吃了還想再吃。

小時候，我每年就期盼著這頓年夜飯，因為可以吃到父親的拿手菜。

福建盛產檳榔芋，芋泥是福州菜的代表。芋泥細膩潤滑、香甜可口，看似涼菜，吃到嘴後才知道非常燙，且入口即化。每次吃年夜飯，家人都會在胃裡先預留空間，以迎接最後這道冰糖芋泥。

其實，美食與健康常常是衝突的，冰糖芋泥除了芋頭的美味，豬油的添香絕對功不可沒，但豬油吃多了，膽固醇也跟著升高。不過一年才這麼一次，所以媽媽也就不禁止，但還是會提醒父親少放一點。

照顧父親的過程中，為了減緩他的失智症，我便從懷舊療法著手。我陪伴他回到出生與成長的福州時，除了去他求學的英華學校，還去尋覓回憶過往的福州菜。

可惜經過文化大革命，許多傳統的飲食逐漸失傳，更別說當年著名的菜館。在福州，時下流行的川菜隨處可見，有人說要吃道地的福州菜，得到台灣或美國紐約。

台北還有幾家福州菜館，我們也經常帶著父親前去品嚐，父親在不同階段會

有不同反應，輕度時會批評菜館師傅手藝問題出在哪裡，雖然重覆都是那些評語，但他還是知道如何批評，有時還自誇沒他做的道地，我們當然也順勢表示，好啊，回去，看你表演。

父親進入中度失智症時，批評少了，但會說出，這道菜應該如何做會更好吃；到了重度則很少批評了，總要我們不斷地問他，請他表示看法，有時，他會以不屑的眼神表達出他的意見，嘴裡好不容易才擠出兩個字，「普通」，但是還是可以靠著舌尖來回憶。

這些美食的味道與作法深深印在我的腦海裡，我現在發揮實驗的精神，自己試做父親的拿手菜，只是再也沒機會讓父親品嚐我的手藝。

照護筆記

1 每一位失智症長者都有各自的回憶，同時還要靠家人引導長者回到過去的情境，鼓勵長者表達。

2 懷舊療法還可利用過去的照片、成長過程、求學過程、重要人生經歷等，及利用節慶、生日、重要日子等，讓失智症長者敘述他的看法。

3 鼓勵長者多表達，即使他說錯了，也不需要糾正，可轉移話題來繼續進行懷舊療法活動。

4 懷舊療法也可鼓勵長者對歷史紀錄的照片或影片，進行看圖說故事，重點在於讓長者願意表達與參與。

失智症知識

1 在懷舊過程中，相互瞭解及同理的感覺會被強化，大腦中緊鄰著主宰情緒的邊緣系統將出現正面能量，互相加油打氣，腦部的腦皮質將產生相互勉勵的正向思考力量。

2 大腦的鏡像神經元與負責情緒的邊緣系統連結在一起，隔壁的位置又是掌管思考的腦皮質，亦即大腦的反應、情緒、思考密切相關，將會出現一連串的效應。

3 當人們無限依戀地談論著過往時，通常會對未來更加樂觀與富有信心。

4 從研究結果看來，懷舊可以減少孤獨、無聊與焦慮。它讓人們對陌生人更加慷慨，對外人更加容忍。

運動療法

你可以想像一位八十四歲的失智症老人，原本行走需要拿拐杖，經過三個月觀察與訓練，現在不但不需要拐杖，每天健步如飛走五公里嗎？

雖然當時父親已經是輕度失智症患者，為了避免症狀惡化，進行非藥物療法活動及運動療法都是很重要的工作，尤其他在過去幾十年，放縱自己喝酒，大量的啤酒讓他的身材肥胖走樣。所謂「身材走樣」就是擁有一個相當於六個月大身孕的肚子及肥胖鬆垮的臉，為了讓他恢復過去英挺的身材，唯有控制飲食配合運動，別無他法。

根據衛福部統計，事故傷害是台灣地區六十五歲以上老人死因的第七位，其中又以跌倒為第二大原因，跌倒是造成身體功能喪失、頸部外傷及與外傷性致死的主要原因，一旦長者曾跌倒，隔年再跌倒的機率是其他人的兩至三倍，當然不是因為跌倒就會馬上死亡，而是因為跌倒引發的各種合併症造成死亡。

所以透過適當的運動，能加強長者下半身的肌力及平衡感，對降低跌倒機率最有效。另外補充鈣質與維他命Ｄ，對長者維持骨質密度與強度是基本保養。

當然，對失智症長者而言，運動更是減緩症狀退化的良方。

既然明確地瞭解運動對父親是百益而無一害，我立即著手規劃一套適合他的漸進式運動計劃。首先，瞭解他自認平常進行的運動，其次配合他目前認知平日所做的運動路徑、環境及未來的運動環境做調查。這當中首重「安全」，老人反應較慢，失智症長者又可能有焦慮不安、被迫害妄想、欠缺定向感等病症，所以尋求一處住家附近，既熟悉又安全的運動環境，是不可忽視的。安全上的考量包括身體及環境。身體上的要注意長者每天的血壓、體能、情緒、服裝、球鞋、溫度等；環境上的安全考量，包括有無過多的車輛（一般車輛、摩托車、腳踏車、直排輪、路上溜冰鞋等）橫行其中、有無過多的人在那裡遛狗、路上的排泄物、路面是否有許多坑洞、地面起伏不平、天氣溫度等。甚至運動的環境有沒有廁所、飲水休息處，也是規劃運動路徑時考慮的要項。

父親當時認知的運動，是晨間由天母爬上陽明山及繞住處附近小學外圍走路。但經我數日跟蹤觀察，他僅是到家附近十字路口旁的小公園，坐下來望著來往的人潮及車流。回家後，問他今天做什麼運動？他總是理直氣壯回應爬陽明山或附近走路，我心知肚明現在他的運動只是拿著拐杖出門透透氣，根本沒有實際的「運動」。

為了維護他的其尊嚴與自信，我先不動生色每天陪他出門運動，早上先走住家附近小學外圍三圈，大約有一點五公里距離，一邊扶著他走，讓他有安全感與信心，一邊陪他聊天，分散他對所走距離的注意力，希望他不知不覺中能多走一些。

在距離這方面，有輕度失智症的父親腦筋卻很清楚，當走完一圈時，他就說好了，今天運動完了，我們回家，我則開始每天編出許多不同理由，試圖說服他走完第一階段的三圈目標。我的理由包括：我要到車上拿物品，請他陪我走到停車的位置；我要買東西，請他陪我去；醫生說我需要多走路，請他

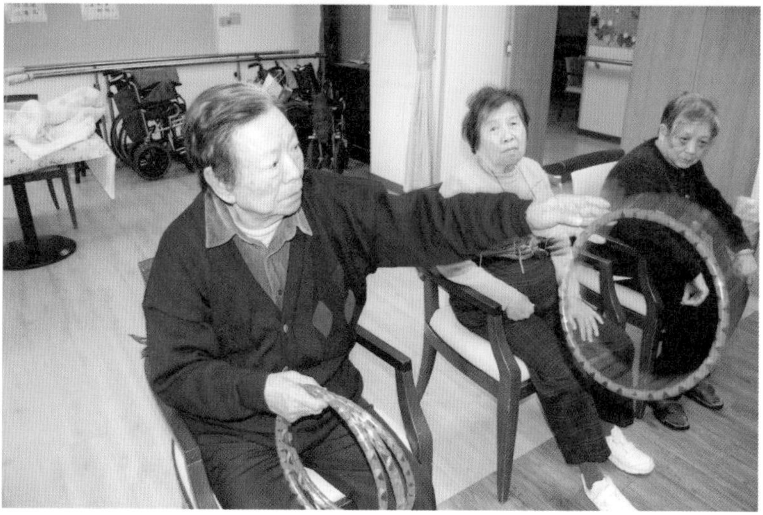

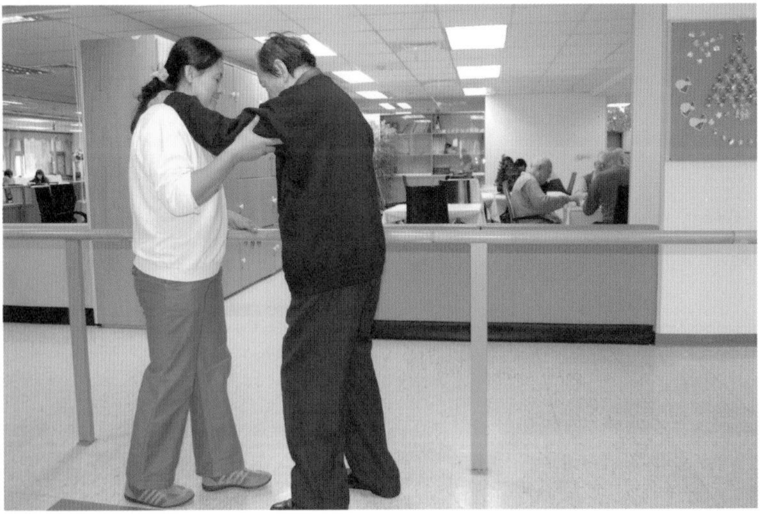

陪我走。這些理由絕不能要求他運動，因為他會一口回絕，說他不需要運動，或運動夠了。

失智症即時記憶逐漸喪失的症狀，剛好運用在溝通的技巧上。但有時無法掌握他什麼事會記得、什麼事不記得，所以有時藉口會被識破，在我半騙半哄、半推半就下走完三圈，有時則迷迷糊糊地被我「騙」著繼續走，每天的「劇本」可能不同，總是重複上演著同一碼戲，必須有耐心地陪他「走下去」。

第二階段是利用小學未上課時間，進入校園走操場，距離增加到兩至三公里。校園內比較沒有安全的顧慮，也沒有人遛狗。跑道是PU跑道，走在上面比較柔軟不會傷膝蓋。此外，校園空氣較街道好，早上一邊走且一邊請他做深呼吸，及雙手做上下前後的擺動，可活絡腦神經及肢體。

父親往往又有新的花樣，不是喊頭痛、頭暈、腳酸、就是膝蓋抽筋（誰聽說膝蓋會抽筋？）。我每天幫他量血壓、體溫、體重，血壓維持正常及穩定，又沒頭痛、頭暈的宿疾，所以我假設這是他不想運動的推託之詞，但為了以防萬一，請菲傭陪伴在旁邊一起走，我在前方，領著他向前行，有時還裝作

聽不到他的報怨或藉口。

父親一直有我可能拋棄他的恐懼，及欠缺定向感，深怕迷路回不了家，運動時我腳步走得快，他竟然也跟得上，體力完全可以負荷。我發現到這個現象後，就開始不斷測試他的體能及耐力，增加走路的距離，由第一階段的一點五公里增加到兩至三公里。

第三階段是規劃、執行較長的距離，並增加路途中的可看性與趣味性。天母忠誠路上有著許多餐廳、名店、家飾店等，也有許多人扶老攜幼、牽狗逛街，父親東逛西逛，不知不覺下就走到一點五公里外的百貨公司。通常帶他逛百貨公司地下美食廣場，讓他先在廣場中庭休息片刻，隨後到部分樓層逛逛，再帶他走回家，全程約三公里，路途景觀多樣化，可分散他走路的注意力。

第四階段逐漸進入運動範疇。除了逛有趣的忠誠路及百貨公司外。開始增加天母運動公園。前面三階段均為暖身，也藉機瞭解與掌握他的體能、體力的極限、習性與偏好，增加到天母運動公園五二〇公尺的跑道走三到五圈，如

此每次的運動量可達四公里。可想而知他一定又有不同的藉口找機會不運動或休息，那是正常的現象，我也早有準備。

每次做運動前，都有一次例行性對話。我問他現在走到跑道上要做什麼？他回答做運動；我問為什麼要運動？他回答健康，我再問健康對誰好？他回應對自己好，我就說既然對自己好，那就認真運動，不要喊「頭痛、頭暈」好不好？他有些無可奈何地回答，好吧！我此刻就會再說：「那你就可繼續欺負我四十年，活到一百二十歲！如果你喊頭痛、頭暈，我們就要多走一圈。」他這時頭腦比誰都清楚，也不喊頭痛、頭暈了。

第五階段完全進入運動範疇。每天早上走兩公里，晚上走五公里。早晨依舊走小學外圍及住家附近，晚上則到天母運動公園走十圈跑道，每天至少走上一萬步，颱風或下雨天在家中做簡易運動及健身操。

失智症的病症會使他記不得每天晚上都出門運動，晚飯後請他穿鞋準備出門，他總是說：「天黑了，不要出門！」我總是按劇本回答：「不要擔心，

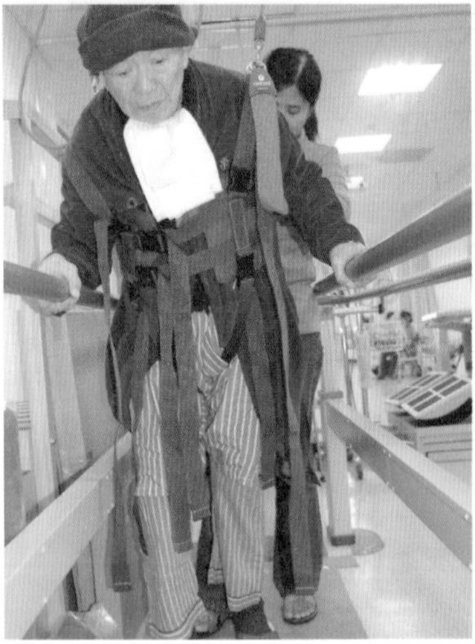

有我保護你，很安全，我們一起出門散步。」如此週而復始每天上演同一劇碼。半年下來，已有少許成績，他的體重下降五公斤，六個月大身孕的肚子已小到像鮪魚肚，變得更有精神、身體更硬朗、氣色明顯變好，每個月要見的三位醫生及他的同學都感受到變化，甚至稱讚他越來越年輕。

這一個過程充滿鬥智與挑戰，雖有挫折與淚水，但後來看到父親一天比一天更健康，所付出的代價是值得的，更成為他對抗老化的資產。

照護筆記

1 安排長者的運動療法需要按部就班，先瞭解長者體能、肢體、生理、心理、慢性疾病等狀況，接著勘查環境的安全，及如何讓長者開始運動時不會感到枯燥無趣。

2 必要時，運用「胡蘿蔔與棍子」的心理學理論，配合心理建設的溝通，雙管齊下。「胡蘿蔔」是指利用他喜歡的食物與物品，來做交換的籌碼，「棍子」當然是言語恐嚇，讓他不得不就範。

3 收集許多運動有益健康的文章與他一起閱讀，每次看醫生時，請醫生特別叮嚀要多運動，配合長者服從權威的個性，與醫生一同進行心理建設的溝通。

失智症知識

1 二〇一一年美國匹茲堡大學和伊利諾大學主導的研究團隊的研究發現，老年人有規律地健走，可使腦部主司客觀事實記憶的海馬迴（Hippocampus）變大，從而增強記憶，避免失智及延緩失智症的退化。

2 日本的神經科醫師認為，每週健走三次以上，就可以使認知障礙的患病率減少百分之三十三、患失智症的風險降低百分之三十一。每天健走效果更好，每天行走三千公尺以上的人，患失智症的風險可以降低百分之七十。這個事實證明健走對大腦健康非常有益。

3 英國愛丁堡大學的高奧（Alan Gow）根據研究客觀證實運動對大腦健康相當重要。他表示，「比起較少從事體能活動的七十歲以上老人，從事較多體能鍛鍊，包括每週步行數次的人，大腦萎縮、老化的跡象較少。」

4 二〇〇三年十月美國醫學會期刊曾發表一項研究報告，對一百五十三位住在西雅圖地區數年的阿滋海默症患者進行研究，部分患者被任意指派去做一些著重肌力、平衡感、柔軟度訓練的運動。他們一天約有三十分鐘做運動，散步、伸展等運動，照顧他們的人，也會學習鼓勵與協助做這些運動的方法。與接受例行治療的患者比較，運動組患者體能較佳，憂鬱的比率較低，研究人員兩年後追蹤，發現改善的情形依然維持，運動組患者活動較多，與照顧者互動較愉快，比較不會憂鬱。

認知療法

「用進退廢」是認知刺激治療的基本科學假設，父親人生最後十二年的生活內容，可驗證這個基本假設。

父親一直扮演一家之主的角色，家庭重要決策、生活內容均由父親決定，再加上軍人的權威人格，家人都沒有參與討論的空間。父親一開始是輕度認知障礙，病魔已悄悄地侵襲他的認知、記憶功能，父親的生活早已空虛無內容，每天他就枯坐在客廳裡幻想，母親只當他不愛動了。所以，在那個階段，父親生活內容是空洞，缺乏任何動腦的活動，成為「退廢」的階段，進而出現許多失智症的精神行為症狀。

當我開始照護父親之後，則採取「用進」的策略，讓父親生活內容充滿各種需要動腦、動手、動腳、動嘴等活動，包括：現實導向對時間的認知，晨操有肢體、記憶、注意、執行、視覺空間等訓練；拼圖有記憶、注意、執行、

視覺空間等訓練；連連看及認知圖書有記憶、表達、注意、執行、視覺空間等訓練。雖然父親不可能回到輕度認知障礙前的能力，但可逐漸恢復到一定的能力暫停持續退化。

這些認知刺激治療活動，是從父親輕度階段就每天養成的習慣，從一開始簡易的內容，先讓父親建立信心，產生興趣，再逐漸增加困難度，以訓練父親恢復與保持既有的能力。隨著父親病程所導致退化程度，逐漸調整內容從困難到簡易。

此外，交叉運用團體與一對一活動，因為兩者各有優缺點。

在日照中心的小團體裡，維持著一位照服員帶六到八人的團體活動，優點是透過團體動力學方式，父親有時會在照服員或其他長者的鼓勵下，願意一同參與活動，分享團體的樂趣，但在團體活動中，每位參與的時間相對有限，萬一又不願參與時，往往可能呆坐一旁或打瞌睡，此時我們會採取一對一的活動方式。

一對一方式，可由父親決定喜歡哪一種活動，此刻的目的僅是在於他的意願，

內容就看他喜歡，甚至我還需要扮演老萊子的角色，只要他開心願意參與。

有時父親情緒不穩定，象棋下一半，或拼圖拼一半，他老大會將東西全推到地上，我們會立即拿出餅乾零食轉變他的情緒，再換別的遊戲給他玩。他專心時，可連續一、兩個小時坐在那裡玩一種遊戲，譬如玩拼圖，二十幾種不同的拼圖重覆玩很多次，他也不覺得累或煩，我們在一旁看，覺得伊爸爸好棒。

我們也會利用上廁所及吃點心讓父親休息，準備轉換遊戲，在認知訓練中，能將現實導向、認知、記憶、定向感、執行力、專注力、視覺空間、決策力、表達力等等，都有機會「玩過」一遍。

照護筆記

1 平時多瞭解長者的能力、興趣與生命史等資訊，找出各種的遊戲活動，先準備好，種類越多越好，為了讓長者參與認知訓練活動，只要他願意玩的，就讓長者去玩，不必拘泥於既定的計劃，過程比結果重要。

2 任何一種活動，都可能包含多種功能的練習，家人或照護者需熟悉活動中每種功能的交互運用。

3 長者喜歡的零食或物品，隨時準備在一旁，當長者情緒不穩定時，這些法寶比鎮定劑還有效。

失智症知識

1 神經再生理論：國外學術研究認為，肢體運動可以促進大腦的神經細胞新生的速度，而認知刺激訓練則能增加新生神經細胞的存活率，並且使它的功能連接到現有的神經網絡。研究指出，或許是根源於這兩種刺激都能促進腦源性滋養因子（BDNF）的分泌，有助於神經細胞的生長和保持它的健康。

2 大腦有許多區域，它的心智活動也有許多不同的面向，包括：記憶力，注意與集中力，執行能力，視覺空間能力以及語言運用的能力。而不同的活動方式與內容，則能刺激大腦的不同區域內容。

3 有些研究認為較多社交活動者有較高的存活率，且似乎可降低死亡率。在心理方面，社會的參與和人際的互動對長者的身體、心理及情緒的健康是非常

重要的。參與社交活動可能有助於降低心理壓力，較好的社會網絡及大量參與社會活動則可以避免憂鬱及壓力；在活動中獲得快樂及成就感、並且增加自尊心；另外在活動過程中，能結交朋友，拓展人際關係，可使單調的生活，增添情趣，降低焦慮和憂鬱狀況。在認知功能方面，參與社交活動可以幫助維持認知功能，也能增加對大腦的刺激，預防或延緩知覺惡化。手腦並用的活動，可減緩老人智力及記憶力的退化，並可活化腦部。

音樂療法

奇異恩典，何等甘甜，我罪已得赦免；
前我失喪，今被尋回，瞎眼今得看見。

在父親去日間照顧中心的第二個月，中午過後我悄悄地走到父親所屬的小團體旁，很驚訝的看到父親跟著照服員及小團體中的老人家一起開口唱《奇異恩典》，從不開口唱歌的父親，竟然唱歌了，對我來講真是「奇異恩典」。我開始覺得，或許可以嘗試用音樂療法了。

我從閱讀父親過去的資料中，得知他小時候到福州市唸英華學校，那是一所教會學校，我從不知道父親曾參加過教會活動，看到那些資料之後，我瞭解到宗教的音樂與活動可喚起他的遠期記憶。

音樂治療可分成主動式及被動式音樂治療，前者是讓長者以唱歌、玩樂器來表現自我的療法，後者則是聆聽音樂刺激聽覺，引導進入想像情境的療法。

對父親這種生性保守內向，只有喝起酒來，話才多的人，我不可能讓他一開始就開口唱歌，所以先採被動式音樂治療，選擇放一些柔和的樂曲以及他熟悉的音樂。

這個階段，音樂療法的目的是幫助父親穩定情緒、促進與喚起記憶、調適壓力、增進安全及幸福感。

我特地去挑選有治療效果的情境音樂，及一些宗教音樂，在每天父親起床後開始播放，除了進行認知、記憶療法活動時暫停播放之外，盡可能在家中利用這類音樂，作為維持祥和情境的重要元素。

日照中心是團體活動，父親經由群體的互動與鼓勵，也會參與唱歌及玩樂器等活動。每年聖誕節前幾個月，父親也會被邀請參加表演團體的練習，他曾拿過鈴鼓，負責打拍子，也曾拿大鼓，參與表演。

這都是我無法想像的事，我印象中的父親是不苟言笑、嚴肅的人，是失智症改變了他嗎？還是音樂療法改變了他？其實那都不重要，重要的是我重新認識父親，他也有慈祥的一面。

我曾在他輕度失智症時，陪伴他到四川成都，參加他軍校畢業六十週年紀念活動。活動中播出《中央軍官學校校歌》：「怒潮澎湃，黨旗飛舞，這是革命的黃埔。主義須貫徹，紀律莫放鬆……發揚吾校精神，發揚吾校精神。」我眼見一群八十多歲的老人，包括父親，都不自覺的雙手緊貼著兩邊褲縫立正的姿勢，跟著大聲唱合，這時五音不全、聲音沙啞已經不重要了，他們全都已回到六十年前的情境中。

這就是音樂與懷舊治療。

當父親重度時，每天晚上，我總會拿出他以前穿軍官服的照片，配合著中央軍官學校校歌作背景，那時父親已很少開口說話，逐漸失語。但曾有幾次，我們十分興奮地聽到父親開口了，他跟著唱中央軍官學校校歌，懷舊、音樂的情境，讓他憶起過去年輕的歲月，喚起他遠期的記憶，願意開口唱歌。

因為失智症誘發失語問題，父親平時連開口都不願意，都以手來比畫，他曾參加抗戰及勦匪等重要戰役，所以特地安排他去參加陸軍官校校慶閱兵典

禮，當他看到軍校學生雄壯的軍容踢著正步，軍樂隊奏出進行曲，及校歌的節奏，整個人開始露出少見的笑容及興奮的心情。

控制唱歌的是右腦，控制說話則是左腦，因此失語不見得會影響唱歌，最怕的就是家人或是照護者認為，失智症長者腦力已經退化了，就什麼刺激都不給，放任長者持續退化。

此外，也可利用「間代治療」（Inter-Generation Therapy）來配合音樂治療，由幼稚園可愛的小朋友來帶動，讓失智症長者願意跟著唱唱跳跳，臨床上不少失智的爺爺奶奶，對於孫子們童言童語的唱跳是有反應的。

我現在聽到《中央軍官學校校歌》，不自覺的會掉下眼淚，想起父親。

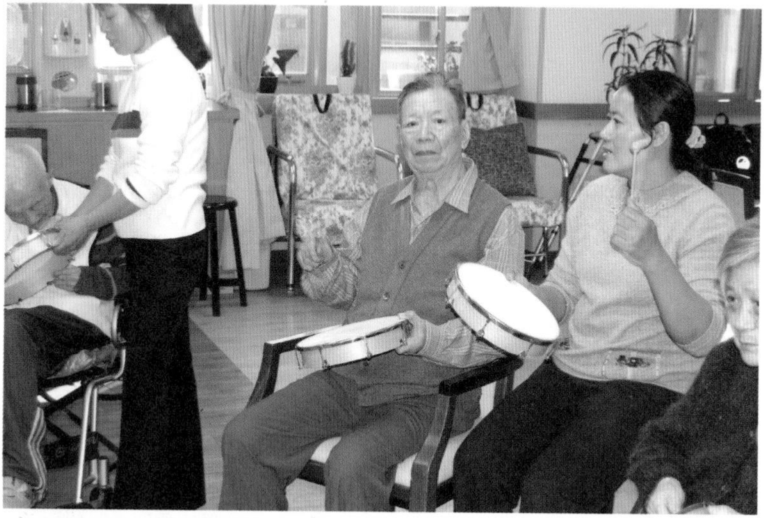

照護筆記

1. 音樂治療過程中，家人或照護者可對失智症長者多聆聽、多讚美，過程中不斷告訴老人家：「你好棒！」讓長者產生自信，肯定自己的生活價值，放開心懷之後，對他們身體健康也有助益。

2. 照護失智症長者的壓力會很大，家人或照護者也需要紓壓，音樂是一種壓力紓解的方式，所以在音樂治療過程中，對長者及家人都有幫助，家庭的關係也會更和諧。

3. 音樂治療是一種聽覺的刺激，重度階段的失智症長者也會不自覺地跟著節奏律動，手腳跟著打拍子，家人及照護者可多提供適合的各種音樂。

失智症知識

音樂治療對於失智症長者主要有三個層面的意義：

1 第一：延緩認知功能退化。哼哼唱唱、甚至肢體跟著音樂律動跳舞或擺動，可活化腦部，手腳也會跟著運動。

2 第二：緩和情緒。失智症患者常合併出現猜疑、焦慮等情緒問題，如果對音樂並無特別喜好的長者，可聽一些大自然的鳥叫蟲鳴音樂，緩和情緒；如果他們有喜愛的老歌，放些熟悉的老歌，可轉移注意力，放鬆開懷。音樂會幫助一個人從害怕、封閉到接受的過程，其實是腦細胞運用最多的時候。

3

第三：懷舊。專家表示，非藥物治療應該是量身裁製的內容，選擇的治療方式與內容都必須個人化，才能引起失智症長者的共鳴。選歌必須考量個人的偏好，每個人的生活時代歌曲不盡相同，有的長者受過日本教育，他們會對日本老歌有興趣，有的長者來自中國，不少人對於三〇至四〇年代周璇的歌曲很有感覺，可回想起當年的美好回憶。

藝術療法：書法

清代做過揚州知府、為揚州八怪之一的書法家伊秉綬，是我們家族的先人，因此伊家人從小都要練書法，臨摹伊秉綬的帖子。父親雖然很早就離家從軍，但是書法一直存在他的記憶中，我小的時候祖父及父親也經常教我練字。

從研究報告中得知，書法可讓人在「知覺、認知、動作」進行協同合作，刺激及激活大腦的發展，提高空間視覺、運動協調和注意力，有助於減緩失智症的退化，這又是父親小時熟悉的活動，因此我幫父親安排非藥物療法的過程中，自然就安排了書法。

多年未提筆的父親怎麼可能乖乖的寫字，一開始，他當然會拒絕，我告訴父親身為伊家的後代，我決定要好好練字，請父親教我怎麼寫書法。父親雖然搖頭說我找他麻煩，但臉上卻流露出得意的神色。

我從「永字八法」開始練基本功，父親就說，「永」字開始的第一個點，必

須寫得像「高峰墜石」，並將我的毛筆拿過去，示範給我看。聽到父親所說的話，我又驚又喜，驚的是，父親竟然記得「永字八法」，和有關衛夫人所教的筆陣圖，換言之，這個場景讓父親遠期的記憶，從腦部浮現出來。那段時間原本父親的情緒很不穩定，經常躁動、發脾氣、甚至動手打人，書法有清心靜慮、修身養性、平和情緒、鬆弛神經的效果，「陪」我練了一陣子書法之後，父親的情緒穩定多了。

曾經在台灣輔仁大學心理系執教的香港大學高尚仁教授，以生物反饋為基礎的書法心理治療系統，作為失智症患者非藥物療法，透過讓書寫者的主動書寫和描繪，因而產生專注、自覺等認知行為訓練，利用大腦的可塑性，以這種行為治療修復「心、身、腦」的心理健康和障礙。

漢字的書寫必須先對文字本身有認知、記憶，進而在書寫的過程中感受呼吸，從呼吸來帶動身體的韻律，到肢體的運動。當長者寫書法時，如果能懸臂運氣書寫，那肢體的活動是從軀幹旋轉、帶動腰部與髖關節、帶動雙膝與雙肩、帶動雙肘與足踝、帶動到手腕、手指及腳指等身體各部分的活動，所以書法

對於失智症長者在非藥物療法上運用，可以有多方面的效益。

不同病程及身體功能的失智症長者，可依據他們當下的狀況來評估，以哪種方式進行非藥物療法，如果認知及記憶功能喪失許多，剛開始寫書法，可以從描紅開始，事實上，許多初學者練習書法也都是從描紅或九宮格開始。

讓失智症長者寫書法，並非要求他們成為大書法家，非藥物療法基本上是經由長者過去熟悉的活動，願意再次接觸與參與這些活動。

書法是許多長者幼年學習的重要記憶，深層記憶是失智症長者最不易喪失的記憶，如果能運用書法進行非藥物療法活動，練習書法的過程中，能轉移他們注意力到這項活動中，以降低失智症長者的精神行為症狀；也透過書法活動的過程，能對他們認知、記憶、肢體、呼吸韻律等產生練習與運動的效果，以減緩失智症的退化。

父親每天有一小時的時間寫書法，從他輕度失智症時，書寫工整的楷書，到最後重度失智症時，寫的是我們看不懂的龍飛鳳舞的草書，從字體的變化也

反映出父親病程的退化。至今，我們還保留著父親的作品，看到這作品，可讓我們回想起他認真寫書法的神情，我們十分懷念陪伴父親的日子。

照護筆記

1 進行非藥物療法需要耐心、以循循善誘方式，營造出長者願意參與的情境。不求長者一次到位，剛開始建立生活習慣較困難，一旦建立後，長者一見到活動器材，會自動自發進行活動。

2 從簡易的活動開始，以建立他們的自信、以找回興趣為主。

3 書法對失智症長者的認知、記憶、肢體、呼吸韻律等產生練習與運動的效果，以減緩失智症的退化。

失智症知識

1 香港大學的腦與認知科學國家重點實驗室率先應用腦成像技術（fMRI），就大腦語言功能問題進行了系統的研究，發現中國人的大腦語言區空間位置上不同於西方人的大腦語言區，並發現了診斷中文閱讀障礙（Dyslexia）的生物學指標。

2 大腦對中文的運作主要在於左側額中回（近運動前皮層，near Premotor Cortex），但是對英文的運作主要在於左後顳地區（近聽覺皮層，Temporoparietal Regions），主要的原因是學習閱讀中文是手寫練習，而學習閱讀英語時是用耳朵來聆聽。

3 香港大學教授高尚仁歷經十多年，作多次的實驗研究報告，說明練書法能減少降低腦波活動，降低血壓。將練書法與休息狀態比較，心搏平均慢百分之五點五，血壓降低百分之五，呼吸慢百分之三十四，腦波在寫字中與兩字間的空白停留間相比，低了百分之十一。

藝術療法：繪畫

「神經病，這是小孩子的玩意兒嘛！為什麼我要畫？拿走！不要來煩我！」

這是老爸在日照中心的繪畫課的反應，這只是塗鴉課程，對於熟悉失智症患者行為的職能治療師小彤看來，是「正常的」反應。她對老爸說，「伊爸爸，你以前在工兵學校教很多學生繪圖，一定也會繪畫，可不可以教我們，我們好看你畫畫，你畫得好棒！」父親被高帽子一戴，開始神氣起來，就拿起桌上的蠟筆開始在畫紙上塗顏色，不再發脾氣了。

其實，他發脾氣隱含著三種意義：一、他在色彩運用上一直不是很理想，所以繪畫對他而言是弱項，他想用發脾氣來躲過將自己的弱點暴露出來。二、在他認知中，塗鴉是小朋友的遊戲，叫他塗鴉，等於把他當作小朋友。三、這是失智症精神行為症狀之一，易怒及暴躁。

職能治療師看過我們為父親所寫的生命故事，知道他畢業於中央軍官學校工

兵科，曾在台灣工兵學校當過教官，對建築造橋等工程與繪圖十分熟悉，拿筆畫線條絕對難不倒他。同時，她從我們對父親的描述中，知道父親喜歡聽好話，尤其是恭維話，所以父親亂發脾氣，或精神行為症狀出現時，她們就善用「戴高帽子」的招數，對老爸（無論是失智前或罹患失智症後）還蠻管用。

父親塗鴉的特色是顏色都不會塗到線外，中規中距，只是他所塗鴉的動物或人，顏色與我們平常的認知有別，乳牛的顏色是灰黑相間，與我們常見的是黑白相間大不相同；牧童的皮膚是黑色，衣服是深咖啡色，可能是來自非洲的牧童吧；甚至樹葉也是黑色的，父親是對黑色有所偏好，還是他生性拘謹只選用最暗沉的顏色，或是他只有黑色的蠟筆？

在他輕度階段，還會跟著照服員一起折紙，折了許多有趣的小動物，他的手做的活是很細膩的，折紙活動可訓練他聽從指示、記憶指示、認知圖案與形狀、執行能力，立體的空間感等。從他失智症中度傾向重度時，就很難跟著做折紙遊戲。

這也難怪他定期回診考簡易心智認知測驗（MMSE）中的折紙時，無法聽從心理治療師的話了，因為他折不出心理治療師要的圖形。

我們每天晚上在家裡，另外會安排黏土活動，黏土是一種立體材料像是陶土。我買了一大桶不同顏色的黏土，帶著父親一起捏各種形狀，這項活動可以訓練父親的感覺統合能力，及認知注意力。

感覺統合能力是指我們的大腦藉由觸覺、本體感覺、前庭覺、動覺、視覺、聽覺以及味覺與嗅覺所給予的訊息，將所有的感覺統整成有意義的資訊，進而做出回應。常常我們會以為每種感覺是獨立進行的，其實各種感覺是集體運作執行，讓我們得以知悉身處何處或正在做什麼事情。

因此，黏土成品或成果的完美與否並不重要，創作過程中自我發掘、探索、接納與生命經驗連繫的過程才是重點。藉由從事黏土等藝術活動，提供一種積極的過程，從選擇材料、題材、顏色和創作形式，讓自我的內在力量不斷活化。

所以，藝術治療是一個提供不具威脅性的表達方式，可以表達無法用言語敘述感覺的一種治療方法。

照護筆記

1 透過藝術治療團體，長者先取得對團體及環境的安全感，開始能自在地暢所欲言，並願意嘗試新奇事物，讓過去的遺憾或未來夢想，得以補足及實現，也許過程的分享並不完全是喜悅的，但是許多喜怒哀樂的回憶，都能找到宣洩的出口與被他人珍惜的價值感。

2 藉由從事藝術活動，提供一種積極的過程，從選擇材料、題材、顏色和創作形式，讓自我的內在力量不斷活化。

失智症知識

1 藝術治療（Art therapy）是利用藝術材料，如繪畫、粉筆與標示物等表達性治療（Expressive therapy）的形式，藝術治療的起源是由英國的藝術治療之父愛德華亞當森（Edward Adamson）。

2 藝術治療介入一段時間後，可喚醒長者深藏內心的思緒與記憶，從治療的過程中逐漸找回心靈的意象與自我認同，以嶄新的眼光看待自己，找回人性尊嚴，擴展了原本逐漸限縮的生活空間與心靈世界。

3 治療的目標及功能主要在於增進表達聯想、自主、操控感、成就感，提供選擇的機會、提供哀悼悲傷及失落的機會、增進注意力、幫助自我瞭解以及加強問題解決能力，達到減緩失智症退化的可能。

寵物療法

「老爸，你看大魚生小魚了。」

父親興奮的走到魚缸前，看著他平日負責飼養的魚添丁了，臉上不禁露出愉悅的神情，剛剛他還在不想做運動的事生氣，現在被我轉移了話題，立即就忘了不愉快的事。

我在父親每天去的那所日間照顧中心，看到一個很大的魚缸，引發我落實寵物療法的精神與意義。於是去水族館，買了一個小型魚缸及一些觀賞用的熱帶魚，希望從父親輕度失智症時，讓他養成定時去撒魚飼料的習慣，並引導他有空時能觀賞五彩繽紛的熱帶魚，也可以穩定他的情緒，讓他心情愉快。

我曾想過養狗，二十年前，家中有條喜樂蒂，牠陪父親每天出門做運動。但我們住的是公寓大樓，不適合養狗，而且太太怕貓狗，雖然我很喜歡狗，在街上遇到流浪狗，我總會過去喊一聲：「Hi！Brother！」太太就會說，你到底

是屬豬？還是狗？最後我決定養魚。

我在客廳牆上掛有一個日曆及一個月曆，除了每天帶父親做現實導向之用，同時幫助父親紀錄，日曆是紀錄餵食的時間，月曆是哪天餵魚，就在日期上打勾，協助父親即時及短期的記憶，也希望父親恢復有責任感的生活。父親到了重度階段，根本完全忘記餵魚這檔事，我們也不勉強，會陪他到魚缸前欣賞魚。

另外幫助父親進行寵物治療的是日照中心每週四早上的狗醫生「福谷」，牠是一隻純正的拉不拉多犬。在父親失智症中度後期，因為開始拿拐杖，他變得不喜歡走路，只要福谷醫生來日照中心，父親就願意牽著牠繞著日照中心兜圈子，有時連拐杖都沒有用，那時他專注於與福谷同行，暫時忘記不喜歡走路或要用拐杖，但我們還是有人跟在旁邊，注意父親的安全。

到了父親重度階段，福谷的幫助越來越多。父親有小中風，左邊的肢體控制力較弱，我們希望加強對他左側肢體的訓練，但父親習慣用健肢，也就是右側的肢體。我們在寵物治療時，就讓父親用左手幫福谷梳理漂亮的毛，用左

手丟球給福谷接、用左手將圈圈套在福谷脖子上，增加他左手活動的機會。父親平常舉不起來的左手，因為想要摸摸福谷的毛而舉起來；本來不願站起來，也因為想要將圈圈套在福谷的脖子上而願意站起來。跟福谷醫生空中丟球及丟餅乾的最佳拍檔是我們家伊爸爸，近九十歲、屬狗的他，每次都可以將球或餅乾丟得很高，讓穿著醫生白袍的福谷充分表現牠的才華。

父親和福谷醫生並不是一直保持友好的「醫病關係」，父親有段時間情緒不穩定，失去自我控制能力，還打了福谷的腦袋。福谷畢竟是受過專業訓練的狗醫生，沒有和老爸一般見識回咬一口。但是抱著惹不起總躲得起的態度，牠從此見了伊爸爸就躲遠遠的。

我瞭解這個情況後，重新調整父親的非藥物治療課程，讓他的情緒更穩定，肢體的肌肉逐漸強壯。慢慢的，老爸和福谷醫生又重修舊好。

福谷醫生帶給老爸的歡樂，協助減緩退化，讓我們非常感謝牠的貢獻，福谷

醫生應可得到「仁心仁術」、「醫術高超」的匾額，但牠可能只要有狗餅乾就心滿意足了。

照護筆記

1 失智症長者過去人生經歷上，曾經接觸、喜愛哪類型的寵物，來決定安排哪類寵物。

2 先評估長者目前的失智症病程及行動能力，如果是輕度認知障礙或是輕度失智症階段，寵物治療是朝向長者能照顧及飼養寵物，有助於失智症長者維持工具性基本生活能力（IADL）。如果選擇養狗，可請長者每天帶著狗出門散步，以增進長者活動量及肢體運動。

3 必須由家人陪在一旁觀察及協助，由於失智症長者的短期記憶及即時記憶逐漸喪失，可能會忘記餵食或已經餵食，家人可做出一張表格或在牆上掛日曆，當長者給寵物餵食後，就請長者自行在表格或日歷上紀錄，避免寵物吃過量或餓著了，也可以增加長者的責任感。

4 當長者忘記或否認已經餵食時，家人可以請長者確認表格或日曆，不要與他爭辯，如果長者堅持沒餵食，要再餵食，可減量，或下一餐延後，作適當的調整。

失智症知識

1 失智症長者透過與寵物接觸及互動，可增進舒適、愉悅、支持、獨立感等正向情緒，減少寂寞、無望、無聊感等負面感受；另一方面可增進長者心肺功能、感官反應，促進社交互動，對降低長者失智症精神行為症狀，及減緩失智症的退化有正面意義。

2 養寵物可以增加生活的樂趣、紓解壓力、培養責任感等。譬如：欣賞水族缸中的游來游去的魚兒，可讓人心情平靜；貓狗則給予人們接觸、關心、運動及增加人際關係的機會；騎馬則讓人有機會學習身體操控和相互合作關係。

3 寵物治療有助於失智老人的自我概念、生活滿意度、精神穩定、社交能力、個人整潔、社會心理功能、情緒等，都有一定程度的改變。

4 寵物可以帶給病患生活的動機、運動的刺激、打破冷漠、帶來歡笑，及做為和病患溝通的催化劑。

園藝療法

家中的陽台上依舊擺著父親喜愛的盆景，盆景卻是枯黃的樹葉，可知道父親可能已經忘記每天澆水這件事。記得以前父親每天總要幫盆栽澆兩次水，夏天的時候，可能澆水的次數還會增加，以避免天氣溫度太高、陽光太大，盆景上的小樹都會枯死。

其實，這項工作可由我們或請菲傭去做，但如果能讓父親恢復已往生活上的習慣，固定去澆水，有助於認知、記憶、肢體功能減緩退化，我決定讓父親自己去澆水。

首先，我安排父親早上做完晨操，準備吃早餐前的時間，先陪父親到陽台看他所栽種的盆景，然後我們不約而同地說，「老爸，你栽種的盆景本來好漂亮的，現在怎麼變顏色了，我們一起幫它把顏色變回綠色好不好？」

接著，請菲傭幫忙把水桶搬過來，拿了兩個水瓢，給父親一個，我拿著一個，

我們一起為盆景澆水。同時，我再次與老爸進行現實導向對談，「現在是八月，八月是什麼季節？」我問父親。

老爸通常會說，「神經病，八月是夏天，你都不知道，書怎麼唸的！」

我隨即說，「我好笨，連這個都不知道，還是老爸你聰明！」

高帽子幫父親戴上後，我接著說，「老爸，既然是夏天，等一下要換衣服去上學，我們穿Polo衫，不要穿夾克，免得太熱。」

我之所以會這麼說，是希望等一下老爸穿衣服時，不要再發生他一定要穿夾克的事。我曾分析過，老爸可能過去隻身在外，為了避免著涼，隨時都帶著夾克，罹患失智症後，加上欠缺現實導向，常無法分辨季節，所以總是穿著夾克，而且是同一件已洗破的舊夾克。

我先讓父親在日常生活上恢復澆水的習慣，同時在過程中，與父親進行現實導向及園藝治療的活動。除了父親原有的數盆盆景，我請太太在不同的季節，買了當季的花來種，農曆新年前種水仙、春天杜鵑花、冬天聖誕紅，經由季節性的花，希望老爸在照顧盆景的過程，能感受到季節與生命的變化。

同時，我們利用週末，開車帶父親去每逢週末他會帶全家到位於新店的果園，哪裡春天有筍子、夏天有芭樂、冬天有橘子柳丁。我們已經有二十多年沒去過，如今舊地重遊，一方面是懷舊療法，另一方面是園藝及肢體療法，我們陪他去果園爬山、摘水果、種菜。

透過果園活動的過程，增進父親的體能，在家人的陪伴下，老爸從山下走到山上，進行農業活動，播種、除草、澆水、為果樹修剪枝葉的過程中，不時舉手、伸展、蹲下等動作，可以鍛鍊父親手腳大小肌肉，而且能夠訓練平衡力和手眼協調，對下肢肌力、心肺耐力、手指抓握精細度、走路步態穩定及身體敏捷性都會有所幫助。同時可降低精神行為症狀、憂鬱程度，自我感受社會及家人支持增加，情緒會更穩定。

重要的是父親在這情境中，會主動說起以前來果園的往事，幫助他穩固遠期的記憶。有一次老爸對我說，上次道路不通，我們要走十多公里才能到果園，你不願意走，結果你一路被我打著走的故事。那是我十一歲時所發生的事，他都還記得。

照護筆記

1 透過挑選過的花草植物來刺激觸覺、嗅覺、視覺以及味覺等感官，使長者意識到時間和季節性的存在與變化，增進現實導向，培養對環境的覺察能力，可鼓勵失智症長者及家屬去瞭解和處理自己的情緒與感受，以紓解焦慮與壓力，進而改變照護者思考方式及提升長者的自我認知。

2 家人或照護者要主動引導長者表達，並強調現實導向的要件，包括：人、事、地、物，不能寄望長者主動表達。

3 在拈花惹草的過程中，植栽花草的顏色、釋放出的氣味、外在的質感等，都能刺激人體的感官，可以消除疲勞和減輕壓力、鬆弛神經與控制情緒。

4 園藝活動可教導長者從栽種步驟開始，依長者的能力，清楚地講述各個步驟，並按需要加入示範。在栽種過程，長者也需要作出不同程度的決策，例如花盆的大小、植物顏色的配搭、澆水的分量、擺放位置、施肥分量等。栽種過程中時常會遇到困難，如蟲害、植物凋謝、如何修剪枝葉等，這需要長者運用能力解決困難。

5 在栽種過程中，長者不經意地專注在園藝活動，這有助促進長者的注意力集中。一些栽種過程如鐵樹開花等特別現象，能刺激長者的回憶。

6 園藝治療雖可有效減低遊走行為的症狀，有懷舊的效果，刺激長者思考過去的生活，帶來喜悅的感受，但也可能引發的負面影響，譬如：植物凋謝引起不愉快記憶，家人或照護者也應該及時提供情緒支持。

芳香療法及按摩療法

感官的溝通，可以讓失智症長者在他記憶中尋找出可接受的、舒適的、愉悅的感受，但是味道是非常主觀的感受，與個人所處的文化、生命史等關係密切，氣味是過程，感覺才是目的。

傳統的芳香療法是運用植物精油，來改善身、心、靈的不適症狀。失智症長者聞到以前熟悉的味道，會勾起過往的記憶，配合按摩更能穩定不安的情緒。

父親出身軍旅，記憶中對於花、草、樹木味道並未有強烈的記憶或偏好，他又有被迫害妄想，最不喜歡別人碰他，讓他聞精油的香氣叫他放鬆接受按摩，往往適得其反，引起他的不快。

任何療法都是一種概念，如何運用存乎一心，父親對花草的香味無感，但是對美食的香氣卻是完全沒有抵抗力，我們就讓他聞菜香。

扁尖筍、火腿、老母雞湯，那是媽媽的味道，父親一聞到這個氣味會回憶起

兒時祖母為他加菜的種種情況；帶著豬油香的芋泥，是父親每回過年必做的拿手菜；海鮮米粉是福州念書時，打牙祭的人間美味；爆雙脆的酸甜香、蝦油的腥香，這些不只是舌尖上的記憶，也是父親嗅覺上的記憶。

太太常燒好了一道菜，就端到父親面前讓他聞味道，猜猜看是什麼菜？父親不僅能正確說出菜名，有時還附贈做法，或是關於這道菜的故事。有時父親情緒不穩定時，一杯茶的清香，巧克力的甜香，都能轉移他的注意力，緩和當下緊張的情緒。

芳香療法的研究指出，芳香的療效可以減少失智症患者的精神行為症狀，幫助睡眠及增加外出行動的動機。雖然失智症患者常有失嗅症狀，不能接受或辨識香味，但研究顯示即使嗅覺功能受損，未必不能從芳香療法中獲益。現在芳香輔助療法應用在處理失智症合併症狀上的研究，多以薰衣草精油為主，薰衣草實際運用上的鎮靜效果也獲得一些文獻的肯定。此外，百里香及黑松精油也曾被發現有抗乙醯膽鹼酶的效果，與現在治療失智症藥物的機轉相同。

精油可以滴在手帕、棉花球或熱水中來聞；近年有細木棒做的擴香竹，插入精油瓶中吸取精油擴香；稀釋的精油可用來塗抹或按摩。

按摩可以促進心理健康和情緒上的滿足，減輕焦慮和憂鬱，對睡眠、疼痛和身體舒適性的影響已有多項研究成果。在腦部認知方面，即使是語言功能受損的狀態下，按摩也能促進有意義的溝通，並且活化記憶。因此，有人認為按摩可能也對失智症患者達到放鬆，減少精神行為的症狀，或是提高失智症患者的食欲，減少失眠及溝通方面的問題。

父親雖然對花草的香味無感，我們還是嘗試將沾有薰衣草精油的棉花球放入他枕頭裡，希望幫助入睡，卻意外的發現還可以防止蚊蟲的叮咬。父親的腎臟功能不好逐漸影響到下肢的循環，他的雙腿開始有腫脹的情形，每晚睡前我們讓父親先用熱水泡腳，再幫他按摩，由腳跟到大腿朝著心臟的方向按摩，初時父親極不習慣，但是按摩後他覺得腳很輕鬆、很舒服，也就不再拒絕。不過，他的身體還是不願意讓別人碰，只要一碰他就很緊張，全

身僵硬，想把人推開。我想，這可能與他被害妄想有關。按摩原來是要讓父親放鬆的，如果適得其反，我想就不必了。

照護筆記

1 精油是西方文化的一部分，對華人來說，可能會聯想到檀香、樟腦油、桂花香、五十年前的明星花露水、食物的香味等才是屬於文化中的記憶。進行芬芳療法可掌握其精神，配合華人文化及長者個人生命史，找尋出適合長者覺得舒適與安逸的味道。

2 嗅覺與味覺是非常主觀的感覺，除了與文化有關，還與個人成長背景息息相關，會喚起個人過去的記憶。所以，只要是長者喜歡的味道，可達到舒適、安定、愉悅的味道，哪怕是臭豆腐，而

不是精油香，以長者能接受，可產生效果的氣味為主。

3 家人及照護者可嘗試在長者吃點心的時候（此刻是長者最開心的時間），進行新的實驗，趁機每次搭配不同的氣味，瞭解長者的反應，找尋出長者喜愛的氣味。此外刻意產生的氣味對家人及照護者也有紓壓的效果，營造家庭舒適的情境。

第8章

帶失智老爸上醫院

第一次掛號就上手：瞭解健保制度下的就醫環境

雖然目前失智症無法治癒，但還是需要定期到醫院回診。既然必須定期看醫生，台灣又是以健保制度自豪的國家，我們就必須對制度下的就醫環境及醫院有所認識，有助於長者及家人順利就醫，取得醫療上的協助與服務。

父親具有榮民身分，過去五十多年來，都以台北榮總為主要就醫機構，在我開始照護他的同時，我就開始上網研究就醫過程及就醫環境，達到節省時間與就醫效果。

首先，掛號部分，第一次預約掛號最困難。

名醫通常很難掛到號，即使台北榮總電腦預約掛號可開放在二十七天前，但

名醫的名字下方卻常出現「額滿」兩個字，如果還是希望能掛上號，在第二十七天前的晚上十二點等在電腦前，手握著滑鼠準備點進去；或著當天一早到醫院排隊掛號。有人是清晨四、五點就去醫院排隊，守在掛號收費櫃檯先抽「掛號號碼單」，等到七點四十分依序辦理掛號，直到額滿為止。

只要能掛進一次，就診後，醫師就會在完診前將下次預約時間及號碼、領藥單、繳費單一起交給我們，那麼接下來我們就不用那麼辛苦搶掛號了。其次，等候就診對家人及照護者有時也是困擾，因為失智症長者久候會不耐、躁動、會發生遊走等精神行為症狀。現在有些醫院提供網路查詢看診進度，可以預估看診及交通時間，確定了時間再出門，提前一點時間到醫院後，可先尋找適合長者的休息環境一下，或讓長者進行平日所熟悉的遊戲，透過手機上網確認看診進度接近時，再帶著長者前往診間。

就診前，最好先將準備詢問醫師的問題擬妥，長者這段時間以來的服藥情況、健康狀況、精神行為症狀類型與頻率，照護上問題等等也都預先寫好，提供醫師參考。

名醫常常一次門診有上百位患者，平均分給每位患者的時間有限，這就是為什麼問題要事先準備，以便掌握時間請教醫師，如果要等醫師來詢問，可能無法問到個別性或特殊性的問題。

此外，名醫往往是經過長期臨床上的努力，才能獲得如此多患者與家屬的支持，一旦患者多，相對就無法提供較多的時間給每一位患者，但還是會有許多年輕認真的醫師有門診空缺，這時，家人可同時掛兩位醫師，一位是臨床經驗十分豐富的醫師，另一位是年輕認真的醫師，雖然後者臨床經驗沒有前者豐富，但後者願意花比較多的時間解釋與協助家人在醫療與照護上的問題。

父親在榮總神經內科掛的是資深醫師，高齡醫學門診的部分則掛另一位以神經內科為專長的年輕醫師，前者以豐富的經驗為父親解決特殊狀況，門診時間平均五分鐘之內；後者則是答覆我所有在醫療及照護上問題，門診時間平均是二十至三十分鐘。

我們要善加運用高齡醫學門診或老人整合門診。因為老人平均都有兩種以上的慢性疾病，身體的功能逐漸衰退，往往需要看多種不同科別的門診。以我的父親的狀況來說，他的腎臟及心臟功能都有狀況，下肢有水腫現象，腎臟科醫師說，不是他的問題，是心臟科的事，心臟科醫師則說，心臟沒問題，是腎臟科的事，我們就成了皮球被踢來踢去。最後，我們到高齡醫學門診之後，他們會去會診相關科別的專科醫師，提供醫療服務。

父親到了重度階段，逐漸失語，無法表達自己的狀況，完全依賴我們平日的觀察，為避免照護上有所疏失，我們每一次的門診都會請醫師先開立驗血驗尿單，在父親門診前兩天就先去檢驗，雖然是多去了一趟醫院，但相對於，門診當天醫師開檢驗單才去檢驗，要待在醫院等候結果，再進門診所耗費的時間，我選擇前者方式：提前檢驗，門診時直接看結果，醫師可即時判讀及診療。

提供每一位帶長者上醫院的家人們，一個經驗參考。

照護筆記

1 就醫前準備十分重要，對家人來說，是必備的功課，平日要為長者紀錄生命徵象：血壓、脈搏、呼吸次數、心跳等資料，及精神行為症狀的出現前因、狀況、頻率等。

2 每次就診時，先去量血壓、脈搏次數。若能包括身高與體重測量更好，讓醫師有充足的資訊進行診斷。

3 非藥物療法是長者平日都應該進行的規律化活動，即使到醫院就醫，在候診時，都可持續請長者進行活動，可降低精神行為症狀及久候的後遺症。

老爸的VIP病歷表：
長者醫療資訊

醫師在門診時，每天都要面對上百位不同背景的患者，要求醫師在短短的幾分鐘內，看完長者過去五十年的病歷，事實上是有困難的，就算不是完整全部病歷，只看最近的病歷，也是有挑戰性的。如果家人能為長者先準備好醫療相關資訊，有助於醫師直接掌握需要的協助、回應長者的醫療需求，雙方都能受益。

這個部分主要是針對初診的醫師及住院時護理人員建檔使用，如果是定期回診的醫師，應已提供過去的醫療資訊，如未提供，也可提供一份給醫師歸檔；定期回診的醫師，著重上次看診後至今的變化，及醫療與照護上問題。

每次父親住院，我們帶著父親進入病房之後，病房的護理人員會過來詢問患者的醫療基本資訊，這對失智症長者來說是很困難的事，或者說他們根本無法配合，因為他們的認知、記憶功能受損，無法提供護理人員需要的資訊，有些甚至是「雞同鴨講」，讓護理人員一個頭兩個大，於是他們會求助於家屬。

我會先以口頭方式，就護理人員希望紀錄父親的醫療基本資訊提供，再回答護理人員特殊性、個別性問題。我會將父親住院需求、失智症精神行為症狀可能出現的狀況、我們如何配合住院期間的照護、如何提供父親非藥物療法的活動等。最後，提供一份父親醫療資訊及藥物清單，供他們查詢與瞭解。

我一開始照護父親時，就建立父親醫療資訊檔案。這就是所謂：「工欲善其事、必先利其器。」我先回憶父親過去有哪些重大疾病或開刀、住院等歷史，再依目前父親身體上有哪些醫療需求，先做出架構。

接著與父親聊天，希望從他的記憶中，瞭解他過去的病史，當然這也是進行父親認知與記憶訓練，這些對他自己來說是屬於重要的記憶，大多是遠期記

憶的範疇。

最後到醫院病歷室，申請父親重要的病歷內容及最近的影像醫學上的紀錄，譬如：腦部核磁共振（MRI）。回家後，將這些資訊匯集到父親醫療資訊檔案中。

父親的醫療資訊檔案裡包括：病名（或類型、或進行過的手術）、一開始看診時間、醫院及科別、醫師姓名、曾經或正使用藥物的名稱及劑量、未再持續看診的原因等。

此外，我也建立了父親的藥物清單，內容包括：過敏的藥物名稱、何時發生、產生症狀；父親正在使用的藥物：藥物名稱、服用劑量、何時開始服用、服用方式、使用藥物原因、發生的副作用、是否有禁忌症、開藥的醫院、科別及醫師姓名。

這個藥物清單還包括父親服用的保健食品內容及方式等資訊。譬如父親有服用銀杏、魚油、維他命E、維他命B群、銀髮族綜合維他命、蔓越莓錠、表

飛鳴等，我們在清單上會提供訊息有：保健食品名稱、服用劑量、服用方式、使用原因、是否有改善症狀、何時開始服用等。

當然，這些醫療資訊必須定期更新、正確的內容有助於醫療人員的診斷，對家中的長者來說更是直接受益。

照護筆記

1 醫療資訊建立基本上包括：病史及藥物清單。

2 醫療資訊建立剛開始會比較辛苦，一旦建立後，定期更新就比較輕鬆，重要的是：這對長者就醫上幫助很大。

3 長者醫療資訊可存放在電腦及智慧型手機中，一旦需要，可立即提供醫療人員參考與運用，對長者的健康維護是有幫助的。

就診時可能面臨的問題

到醫院看醫師似乎是很單純的事，但失智症長者的背景、人生經驗、病程、精神行為症狀等不同，在醫院內可能出現的狀況不完全一樣，不出狀況能平安完成就醫過程，那真的是很幸運。

我將曾發生在醫院中的各種狀況提出，讓家人及照護者當作借鏡，並預做防範。

遊走：大型教學醫院，一棟棟大樓，門診、驗血及驗尿檢驗室、X光室、繳費、領藥就可能在不同大樓，每項工作都需要排隊，如果失智症長者有遊走的精神行為症狀，一到醫院就必須小心長者的行動，最好不要離開我們的視線，如果能讓長者配帶具有GPS衛星定位功能的手錶或行動裝置，萬一有狀況發生，還可以依靠衛星定位快速協尋長者。

被害妄想：部分的失智症長者面對抽血、打針、大腸鏡、胃鏡、甚至於眼科、

牙科、耳鼻喉科等，可能無法配合醫護檢驗人員的要求。譬如：檢驗人員抽血時，長者會以身體抗拒，致使檢驗人員扎針時，無法準確找到血管；眼科檢驗時，長者的眼睛不配合張開或一直眼皮跳動；牙科檢查牙齒時，長者的嘴巴不願張開，或者總算配合張開檢查，當儀器進入嘴巴後，快速去咬醫師的手或儀器；至於大腸鏡、胃鏡等，一般人是局部麻醉，失智症的長者如果一定要進行這類型的檢查，往往需要全身麻醉，但這對心臟功能欠佳及失智症長者都有副作用。

父親到了重度時，在抽血、打針方面就出現了無法配合的狀況，我們先與檢驗或護理人員溝通，請他們先做好準備，我們則誘導父親轉移注意力，同時，給他戴上口罩，我們緊抓住他的肢體，並將父親的視線移轉看別處，讓檢驗或護理人員以最短的時間完成抽血。父親往往還是會不高興掙扎一下，當動作完成後，我們立即拿出父親喜愛的餅乾點心，讓他轉移心情。

為什麼要給父親戴上口罩？當父親的肢體被抓住、頭也不能動時，他會吐口水來抗拒，吐到我我擦掉就好了，但父親吐到檢驗或護理人員，我們就麻煩

大了，抓住他的肢體，真的是不得已的行為。

父親住院時，護理人員每天都要抽血，我特別請護理人員事先告訴我何時來抽，我可以在一旁配合協助。曾有一回，有位護理人員自認她可以勝任，沒告訴我，次日我剛好也不在病房內，結果護理人員扎了很多次都沒成功抽到血，臉上及身上都是父親吐的口水，當然父親手臂上也平白多扎了好些針孔。

照X光時，我一定會請檢驗人員給我鉛衣，我會穿上鉛衣陪伴父親一起照X光，讓他安心有安全感。驗尿的部分，我們先在家準備裝尿液的試管，盡可能是在家先收集尿液，因為父親不是說尿尿，就會配合給尿。

照護筆記

1 可事先準備長者喜愛的食物，作為在就醫時，轉移長者注意力及避免躁動的重要工具。

2 可帶長者喜愛的遊戲或物品（絨毛玩具）到醫院，當長者躁動時，可利用遊戲及喜愛物品讓他心情穩定。

3 家人及照護者在言語安慰及肢體上撫慰，都可協助長者建立安全感及穩定情緒。

住院、開刀及避免譫妄（Delirium）

到醫院就醫，理論上患者是會逐漸康復的，但失智症患者因為有精神行為症狀及認知功能退化等的問題，住院及開刀時，如果未能提供適當的照護，可能會加速失智症的退化，家人及照護者應更加留意照護技巧與方法，持續提供現實導向及非藥物療法活動，尤其要避免譫妄，急性譫妄是可能致命的。

失智症長者是否要接受手術，部分家屬採取比較保守的態度，他們認為如果要進行手術，勢必要進行疼痛管理，也就是施打麻醉藥。麻醉藥對失智症長者的風險會比一般長者高，包括：認知功能退化、譫妄等，所以對於沒有立即影響長者生命的手術，儘量避免進行。

住院期間，照護失智症長者常見的問題是晚上不睡覺，甚至吵鬧，使得鄰床的病患，或隔壁病房的患者都無法入睡。過去醫護人員常用的方式是提供「化學性的約束」，也就是餵食安眠藥或鎮定劑，這都是有副作用，晚上不睡覺，

除了生理上的因素，大多是白天都在睡，晚上自然會睡不著。一般傳統的觀念與作法是住院期間或開刀後，大都是多休養，換言之，就是多躺在床上睡覺，但這對失智症長者不盡然適合，適當的休養是有必要的，但家人的陪伴與關懷、及現實導向、非藥物療法活動更應該適時提供，一方面可加速康復，另一方面可降低精神行為的症狀及譫妄，以免加速失智症的退化。

當父親要住院時，我們會先將他熟悉的物品，包括：枕頭、相片、非藥物療法的遊戲、甚至平常蓋的被子帶去病房，除了有菲傭陪在一旁，我及太太也都會在，我們會跟父親多一講些家裡最重要與快樂的事，講的時候會緊握著父親的手，在他耳邊用熟悉的聲音低聲說一些故事，逗他笑，讓他腦中的時光隧道能拉回到現實環境與時空中，如此一來便可降低或避免譫妄的可能。當父親可以坐起身來，他的體力逐漸恢復之後，我們將平日進行的各種非藥物療法活動，一一拿出陪伴父親一起玩，從拼圖、七巧板、連連看、丟圈圈、丟沙包，到看圖說故事，讓父親白天有事做，就像是在家或在日照中心平日

一樣的活動安排，避免父親躁動及退化。

病房的護理人員很快都認得我們，很少有病房的護理人員會主動提供非藥物療法給住院的失智症長者，她們不是不懂，是忙不過來。

如果父親必須進行手術，我則會先向主治醫師說明父親失智症的症狀，以及為了避免譫妄，請醫師同意並協助安排我在父親完成手術後可以進入恢復室，在父親的麻醉藥消退之前，允許我待在手術恢復室裡陪伴父親。我依然是緊握他的手，在他耳邊述說他所熟悉的事，當他一張開眼睛時，我立即看著他的眼睛說話，還拿出熟悉的照片給他看，讓他的認知及意識能回到現實，給予他心理支持與安全感。

無論父親住院或待在家中，他從未發生過譫妄。我不知道是否與我們所做的現實導向及非藥物療法有直接關係，至少我們努力去預防。

照護筆記

1 失智症長者一旦住院，照護責任不全然屬於醫院的護理人員，家人更需要配合進行照護工作，尤其是現實導向及非藥物療法活動。

2 白天盡量將病房窗戶窗簾拉開，讓太陽曬進室內，當長者可坐輪椅或走路時，白天可到戶外走走，做一些簡易活動，讓長者白天少睡覺，晚上才可能入眠。

3 如果醫護人員同意家人可進加護病房或手術恢復室陪伴長者，我們更應遵守規定，尤其是要關閉行動電話，以協助長者建立安全感及穩定情緒為目標。

失智症知識

1 失智症長者因為住進病房或加護病房，對周遭環境與人感到陌生與恐懼，加上可能感染與電解質不平衡等問題，容易產生譫妄。

2 譫妄是一種急性發生的症狀，會突然對人、時、地混淆，或是日夜顛倒、注意力不集中、出現幻覺等症狀，病程會起伏不定，一會兒意識混淆，一會兒意識清楚，發生比意識模糊更為嚴重的意識障礙類型。

3 譫妄狀態的特徵包括：

a. 意識水平降低，有定向障礙。

b. 常有精神運動性興奮。

c. 有幻覺或錯覺，尤以幻視較多見。

4 譫妄不是精神疾病，通常是生理上的異常所造成的，可能的起因包括手術對心理與生理所造成的壓力、疼痛及治療疼痛管理的藥物、手術中造成的失血、感染（像是肺炎、泌尿道感染等）、代謝性問題（像是肝功能或腎功能異常）、電解質不平衡、營養不良、缺水及失眠等。如果生理性的異常沒有解決，病人就會持續有譫妄的現象。

5 譫妄通常是短暫現象，一般在譫妄的起因解決後的三到七天，症狀就會消失，但也有可能拖到一個月之後，要看病人本身的生理狀況。只要把生理性因素移除，大部分的病人通常可以完全恢復正常。只有少數原本生理病況無法解決的老年病患，譫妄才會反覆發作。

6 研究顯示，接受大型手術的病人較容易發生譫妄，例如髖骨骨折手術，大約有百分之三十到五十的機率；接受心臟手術七到八成的病人會有譫妄的現象發生。如果病人年紀大於六十五歲、男性、行動力差、營養不好、原本就有很多內科的疾病、服用多種藥物、原本就有失智現象、過去有

譫妄的病史，或有酒癮問題等，在手術後產生譫妄的風險更大。

7 除了手術外，住在加護病房的病人也常見這種情形，因此譫妄也稱為加護病房（ICU）症候群。可能的原因包括服用多種藥物的影響，以及加護病房的照明造成日夜失調，都有可能造成病人的錯亂。

8 譫妄是老年人最常見的住院併發症，會導致高齡患者功能下降、失能、死亡率提高，譫妄與失智症的幻覺等精神行為徵狀不同，譫妄是急性、可逆轉的徵狀，失智症的是漸進、不可逆轉的徵狀。

9 臨床研究發現，譫妄患者治癒之後，一年後死亡率會達到百分之三十五至四十，認知功能的退化會加快三倍，增加長者再次住院的比例，如果原來沒有失智症，則會增加失智症的發生率。

是時候選擇長照機構

我們一直是自己照護老爸，如果要問我們是否曾想過將他送去機構？以及為什麼最後沒送去？

我的答案很最簡單：捨不得！因為他是我們夫妻唯一的家人。

我們曾參觀過幾家被政府評定為特優的長照機構，當我們離開這幾家機構時，都一起掉下眼淚，異口同聲表示，絕不送老爸去機構。但不表示，送機構接受照護是不對的，每一個家庭都有其各自條件與狀況，各自會作適當的選擇，這個答案沒有絕對的對與錯。

我們為什麼捨不得送老爸去機構？

因為老爸的個性既固執又剛強。他已有被遺棄妄想，如果把他送到機構後，他不配合照服員的照顧，很容易產生躁動與打人的衝動，那麼老爸要接受物理性（約束帶）及化學性（鎮定劑）約束的可能性非常高，這是我們最不願見到的。

當老爸拒食時，機構的作法通常就是用鼻胃管灌食，老爸肯定會抗拒，問題只會更加惡化，嚴重影響到他的健康。但是，哪一個機構會耐心提供不同的食物，花費數個小時嘗試讓拒食的失智症長者願意進食？當他拒食時，會將食物吐在地上、吐在我們臉上、身上，照服員可以接受嗎？機構照服的人力不足，要求他們提供個人非藥物療法的活動，更是大不可能，更徨論這些照服員懂多少非藥物療法的精神與內容。

其實，我也花了不少功夫研究過台灣長照制度與長照機構。

民國一〇三年六月，全台灣失能人口約七十四萬人，領有身心障礙手冊者有一百一十三萬一千多位，這當中是有重覆計算的，但全台灣僅有一千〇一十五個長照機構，提供五萬五千五百二十八張床位，實際上入住機構者，只有四萬二千二百三十九位。經《康健雜誌》評選十大長照機構，排名第一的新北市雙連安養中心有四百三十二張床，除了滿床，還有一千八百多位在候補名單中等待入住。

從這些數據來思考，如果家人考慮是否送失智症長者入住機構，先要思考何

時該送長者到機構接受照護？如何選擇適合長者的機構？如何提前規劃與安排？

一般而言，當家人照護人力不足，照護知識不足，長者精神行為症狀已造成家庭無法負荷，家人已有人健康（憂鬱等）出現警訊，家庭已對照護方面產生歧見、形成衝突等因素出現時，可考慮是否為長者的照護品質，與家庭和諧與健康關係中，取得一個平衡點，利用日照中心、居家照顧等喘息服務，或聘請外籍看護，或送長者到機構，都是可選擇的方案。

無論選擇哪一項，都需要提前規劃與安排，因為都需要時間去排隊等候，不是我們希望要就立即有。

好的日照中心與長照機構，等候名單都很長；居家服務員已經是僧多粥少，懂得照護失智症長者的照服員更少；聘請一位外籍看護從申請到入境，平均要三個月。

台北市聖若瑟失智老人養護中心是全台灣僅有的一個專門照護失智症患者的長照機構，其他的則是機構內設有失智症專區，或混合照護。

以下是我幫老爸選擇照護中心的經驗整理出來的心得。當家人們決定送失智症長者到機構接受照護，這些因素可以做為大家在選擇時，列入考量的部分。

1 照服員及護理人員等是否接受過失智症照護訓練。

2 機構是否提供長者非藥物療法活動。

3 機構的照護比例。政府規定失智專區是一比三，一位照服員照護三位失智症患者，照服員以本國人為主，還是聘用外籍看護，這與照護品質息息相關。

4 機構是否允許個人的空間，可以有個人化的環境布置。

5 機構對照護所採取的方式是大團體，還是小團體。

6 機構在醫療、職能治療、物理治療、藥師、營養師等專業人員是採何種方式合作，多久提供一次專業方面服務。

7 機構活動空間是否足夠。

8 機構所提供餐飲的衛生條件與內容。

9 機構對長者的個人衛生處理方式，包括：盥洗、飯後刷牙、洗澡等方式與次數。

10 機構對換尿布、翻身等方式，會影響到皮膚及是否會產生壓瘡。

家人可以在不同時間前往機構觀察瞭解，也可從已入住的家屬口中，瞭解他們的看法，也可聽聽照服員的心聲。

照護筆記

1 好的失智症照護機構，往往等候名單會很長，家人可以先去登記，再進一步與家人共同瞭解。

2 長者輕度失智症階段，如果能自己做決定，可以考慮徵詢他個人對未來照護方式上的意見。

3 即使將長者送到機構接受照護，不代表家人就完全放手，家人還是可以每天前往探望，多給長者心理支持與非藥物療法活動。

4 避免長者有被遺棄的妄想，在剛送長者前往機構入住階段，可以每天花較長時間在旁陪伴，協助長者習慣新環境，結交新朋友。

5 避免長者到新環境產生更多精神行為症狀，家人可將長者個人物品與熟悉物品，一起攜帶前往布置，減少長者的陌生感與害怕。

第9章

別了！我親愛的父親：必須面對的安寧療護及準備

簽署放棄急救同意書（DNR）

那天早上，父親用完早餐，刷完牙，坐在便盆椅上完大號，我站在他的後方，為他擦拭肛門，平常我幫他擦時，他都會叫，那天他竟然完全沒有出聲，我立即察覺有異狀，未料父親居然停止呼吸，我趕緊將父親平躺到地上，我先為他做 CPR，叫太太撥打一一九叫救護車。

三分鐘過後，救護車到，我讓救護人員接手做 CPR，同時他們也用上了電擊器，緊接著救護車就送父親到鄰近的榮總急診室，醫師與護理人員立即接手，並問我是否同意插管。

事情真的來得非常快，我幾乎沒有時間思考，我過去曾做過多種可能的沙盤推演，萬萬沒想到是如此的場景。我當下還在猶豫不決，想打電話給父親在榮總高齡醫學中心的主治醫師，請教他意見的同時，急診室醫師沒時間等我回答，他已進行插管急救。

父親的心電圖馬上恢復跳動，但這些都是經過儀器讓父親維持生命徵象。當高齡醫學中心劉建良醫師趕來急診室瞭解狀況後，告訴我機會不大，即使救回來，可能接下來都得靠呼吸器維生，許多身體的功能都因為缺氧而受損，父親的腎臟原本就不好，洗腎的機率會增加。但是現在都已經插管了，也無法再改變現狀了。我眼見著父親毫無意識地躺在病床上，他的身上插著許多管子，我好難過，為何還讓父親受這些罪。

經過一個多小時，急診室的護理人員告訴我已安排加護病房，要將我的父親轉入加護病房繼續接受這些維生儀器，看是否有機會好轉。因為是加護病房，家屬一天只有兩次探望時間，我們只好先回家等待，但我心裡明白，父親這次的機會不大。

我回家前，再次請教加護病房的醫師，父親的現況及未來的可能性發展。回家後，我先打電話給父親的姪女，告訴她父親現在情況，她還安慰我，過去每一次父親住院都在我們全力的細心照護之下，安然渡過危機，她相信這次

父親也會沒問題的。

但我心裡難過，是我沒照護好父親，如今只能告訴她加護病房的開放時間，如果她時間允許，願意來看父親，可以來看看他。我有句話哽在嘴中說不出來，我想說，再不來看，可能再也看不到了。但是最後，我說不出口。

我待在家中，開始寫一些想要向父親最後告別的話。我知道，人最後消失的是聽覺，我相信父親會給我機會，聽我的懺悔、聽我說，「謝謝你給我機會，做你的兒子。我來生有機會，還希望再做你的兒子，我會更努力做好兒子的角色、我在照顧你時，會更嚴謹與仔細、我不會再犯過去所犯下的錯誤……」

我回到醫院加護病房後，為父親簽下「拒絕急救同意書」，也就是，當父親心跳血壓下降時，我們同意醫師不再施打強心劑等急救措施。

次日，清晨三點，護理人員打電話給我們，希望我們趕快到醫院見父親最後一面。我們趕到醫院之後，我緊握著他的手，就如同過去每次他住院時，給他現實導向一樣，但這次不再是幫父親進行現實導向，而是我們要面對現實，不再讓父親受苦、受罪。我將準備好的話，在他耳邊說給他聽，父親竟然血

壓回升，或許是他接受了我的懺悔。

當天下午五點二十六分，父親非常安詳的離開。我們在護理人員同意下，為父親做最後一次的清潔工作，讓父親乾淨穿上衣服，去與母親會合。

那一天，與五十三年前的同一天，父母親生下我。

照護筆記

1 失智症長者到了極重度，甚至在重度或中度階段，家人可考慮是否要先簽署「拒絕急救同意書」，因為長者失去認知及記憶功能，如果發生嚴重狀況，可能變成植物人，靠機器維生，是否要讓長者受那種痛苦，及家庭是否可長期接受這壓力，都可事前想清楚。

2 聽覺是人最後喪失的知覺，可將想要告訴長者的話寫下來，當長者臨終時，可在他耳邊述說，讓他安詳與平靜的離去。

3 如果告別是會發生的事，我們可以先做準備，當告別來臨時，不會手忙腳亂，以長者不再受罪，維持人的尊嚴為首要考量。

4 長者逐漸邁入重度失智症的階段，家人及照護者可以使用安寧療護的精神來照顧病人，做好心理準備面對可能遭遇的問題。雖然無法準確的預測病人生命還有多長，但可以讓他們活得有尊嚴和品質，使長者及家屬都沒有遺憾！

失智症知識

1 國健署自二〇〇九年九月一日起，將包括失智症在內的八大非癌病末期患者的安寧療護納入健保給付。

2 二〇〇九年《新英格蘭醫學雜誌》曾討論末期失智症病人病程表現。研究收集三百二十三位波士頓附近二十二家不同的護理之家的極重度失智症患者，在十八個月之內病程變化情形，病人平均年齡八十五點三歲。

有百分之五十四點八的病人在十八個月內死亡，其中接近百分之二十五的病人在六個月內死亡，但若有過發燒、感染或進食問題者，百分之四十至五十的病人會在半年內死亡。所以，其實極重度已臥床的失智症病人，若開始出現發燒、感染或進食問題，都可考慮是否接受安寧療護。

3 近年國外研究的結論，鼻胃管餵食就是放了鼻胃管並未減少胃酸逆流和吸入性肺炎的機會，也沒有明顯改善營養狀況，同時沒有增加存活率。所以目前國外已不建議給末期失智症病患鼻胃管餵食。

4 二〇〇九年有一篇針對荷蘭安養中心失智症病人所做的抗生素治療研究。研究人員觀察五百五十九位病人死於肺炎，一百六十六失智症病患死於進食問題，其最後的治療方式是否影響病人的舒適安寧程度。死於肺炎者的不適程度高於進食問題者，使用抗生素者（大部分使用口服抗生素）死前舒適度較高。所以建議在失智症安寧療護中，還是可以給予適度抗生素治療。

附錄

台灣地區各地藝文旅遊活動資訊相關網站

失智症家庭每逢週末假期，可安排全家與長者參與當地或鄰近社區各項藝文旅遊活動（這類活動大多免費），一方面是一讓家庭親情凝聚與交流的機會，也可讓家屬得到喘息機會，另一方面，讓長者有社會參與的機會，與社會接觸、他人互動，以減緩退化。

文化部全國藝文活動資訊網

www.even.moc.gov.tw

全 台 各 地 文 化 活 動

台 北 市

台北市民電子報	www.epaper.taipei.gov.tw 包括市府各局處及各行政區電子報可分別點入查詢
台北市文化局網頁	www.culture.gov.tw
台北市文化資產	www.culture.gov.tw/frontsite/cultureassets/caseHeritageAction.do?method=doFindAllCaseHeritage&subMenuId=26&siteId=MTA1&all=true
文化快遞	www.express.culture.gov.tw
台北市社教館	www.tmseh.taipei.gov.tw
文化在巷子裡	www.tmseh.gov.tw/big5/ArtInfoList.asp?Item=6
台北市政府觀光旅遊局台北旅遊網	www.taipeitravel.net/
台北市工務局公園路燈管理處公園演出公告網頁	http://pkl.taipei.gov.tw/ct.asp?xItem=8406471&ctNode=47134&mp=106011
台北市工務局公園路燈管理處公園活動訊息網頁	http://pkl.taipei.gov.tw/lp.asp?ctNode=46561&CtUnit=10400&BaseDSD=60&mp=106011

新北市

新北市電子報服務網	www.einfo.ntpc.gov.tw 包括各局處及風景區活動可分別點入查詢
e 起 新 北 市	http://epaper.tpc.gov.tw/index_Duanwu.asp
新北市文化局活動網頁	http://www.culture.ntpc.gov.tw/
新北市立十三行博物館	www.sshm.ntpc.gov.tw/epapers/Default.-fcaf-44fe-830e-
淡水古蹟博物館電子報	http://chweb.culture.ntpc.gov.tw/epapers/Default.aspx?WID=560d2ade-378e-4cb6-8cb4-c2ce2b227759
新北市觀光旅遊局活動網頁	http://tour.ntpc.gov.tw/page.aspx?wtp=1&wnd=163

基隆市

基隆市電子報	www.klcg.gov.tw 可從機關連結點入交通旅遊局及文化局網站查詢
基隆市文化局	http://www.klccab.gov.tw/

桃園縣

桃園縣政府文化局	www.tyccc.gov.tw/
桃園縣政府文化局藝文活動網頁	www.tyccc.gov.tw/artactivities/allacts/list.asp
桃園縣政府文化局電子報	www.tyccc.gov.tw/other/handbooks/list.asp

新竹市

新竹市政府全球資訊網	www.hccg.gov.tw 點活動訊息
新竹市政府文化局活動網頁	www.hcccb.gov.tw/chinese/02activity/act_a01.asp

新竹縣

新竹縣政府文化局	http://www.hchcc.gov.tw/ch/index.asp
新竹縣政府文化局藝文活動網頁	www.hchcc.gov.tw/ch/04active/act_01.asp

苗栗縣

苗栗縣政府國際文化觀光局網站	www.mlc.gov.tw/index.asp
苗栗縣政府國際文化觀光局藝文活動網頁	www.mlc.gov.tw/news/index.asp?Parser=10,5,23
苗栗縣政府文化觀光旅遊網	http://miaolitravel.net/MainWeb/main.aspx?Lang=1

苗栗市

苗栗市全球資訊網	www.mlc.gov.tw/micg/

台中市

台中市政府文化局文化活動資訊網	http://activity.culture.taichung.gov.tw/index.asp
台中市政府觀光旅遊局網站	www.tourism.taichung.gov.tw/
台中市政府活動訊息網頁	www.taichung.gov.tw/lp.asp?CtNode=713&CtUnit=119&BaseDSD=61&mp=100010

南　投　縣

南投縣政府文化局	http://www.nthcc.gov.tw/
南投縣政府文化局藝文活動公告	www.nthcc.gov.tw/chinese/02news/02bulletin.asp
走進南投　南投縣政府旅遊觀光網站	http://travel.nantou.gov.tw/index.aspx

彰　化　縣

彰化縣政府活動快訊	www.chcg.gov.tw/ch/03news/02activity.asp
彰化縣政府文化局表演活動網頁	http://www.bocach.gov.tw/ch/01activity/01show.asp
彰化縣政府旅遊資訊網	http://tourism.chcg.gov.tw/tc/index.aspx
彰化縣政府文化局表演活動網頁	http://www.chcg.gov.tw/tourism/03bulletin/bulletin04.asp

雲　林　縣

雲林縣政府藝文活動網頁	www.yunlin.gov.tw/cul_news/index.asp?m=99&m1=6&m2=50
雲林縣政府文化旅遊網頁	http://tour.yunlin.gov.tw/
雲林縣政府文化旅遊藝文活動公告	http://tour.yunlin.gov.tw/cul_news/index.asp?m=99&m1=13&m2=311

嘉　義　縣

嘉義縣政府全球資訊網	www.cyhg.gov.tw/wSite/mp?mp=11
嘉義縣政府觀光旅遊網頁	www.tbocc.gov.tw/e-tour.asp
嘉義縣政府文化觀光局藝術網頁	http://163.29.235.132/cyhgcultural/home/home.asp

嘉　義　市

嘉義市政府全球資訊網	http://www.chiayi.gov.tw/2011web/06_activities/01_list_active.aspx

台　南　市

台南市政府活動網頁	www.tainan.gov.tw/tainan
台南市政府文化遊局網頁	http://culture.tainan.gov.tw/week.php#
台南市政府觀光旅遊局網頁	http://tour.tainan.gov.tw/action.aspx?nodeid=12753

高　雄　市

高雄市府全球資訊網	www.kcg.gov.tw
高雄市政府文化旅遊局網頁	http://www.khcc.gov.tw/media01.aspx?ID=53&IDK=1
高雄市政府觀光旅遊局網頁	http://tourism.kcg.gov.tw/tw/default1.asp

屏　東　縣

屏東縣府全球資訊網	www.pthg.gov.tw
屏東縣政府文化處網頁	http://www.cultural.pthg:gov.tw/
屏東縣政府觀光傳播處網站	http://www.pthg.gov.tw/plantou/

台　東　縣

台東縣府全球資訊網	www.taitung.gov.tw
台東縣府觀光旅遊網	www.tour.taitung.gov.tw
台東縣府文化處網頁	www. cccl.ttct.edu.tw

宜　蘭　縣

宜蘭縣府全球資訊網	www.e-land.gov.tw
宜蘭縣府文化局網頁	www.ilccb.gov.tw
宜蘭縣政府宜蘭勁好玩網站	www.tourism.e-land.gov.tw

花　蓮　縣

花蓮縣政府全球資訊服務網	www.hl.gov.tw
花蓮縣府文化局網頁	www.hccc.gov.tw/Portal/Content.aspx?lang=0&p=002000001
花蓮觀光資訊	www.tour-hualien.hl.gov.tw/